#홈스쿨링
#혼자공부하기

똑똑한
하루 과학

Chunjae
Makes
Chunjae

▼

똑똑한 하루 과학 4-2

편집개발	조진형, 구영희, 김현주, 김성원
디자인총괄	김희정
표지디자인	윤순미, 박민정
내지디자인	박희춘, 우혜림
본문 사진 제공	야외생물연구회, 셔터스톡
제작	황성진, 조규영

발행일	2021년 6월 1일 초판 2021년 6월 1일 1쇄
발행인	(주)천재교육
주소	서울시 금천구 가산로9길 54
신고번호	제2001-000018호
고객센터	1577-0902

똑똑한 하루 과학

어떤 책인지 알면
공부가 더 재미있어.

똑똑한 하루 과학 **구성과 특징**

핵심 용어

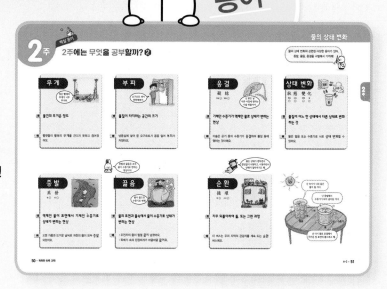

• 핵심 용어만 쏙!
• 한자와 예문으로 이해 쏙쏙!
• 그림으로 기억력 UP!

1일~4일 학습

실험 동영상

빠른 정답 보기

• '❶ 개념 만화 → ❷ 개념 익히기 → ❸ 개념 확인하기' 3단계로 하루 학습
• 하루 6쪽, 4주면 한 학기 공부 끝!

5일 마무리 학습

❶ 핵심 개념

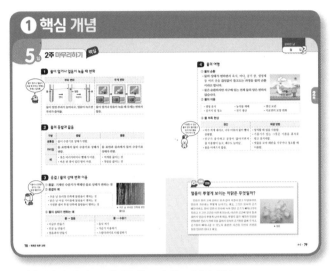

❷ 문제

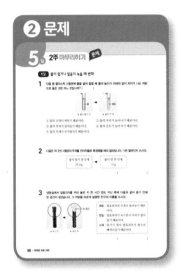

· '❶ 핵심 개념 → ❷ 문제' 2단계로 하루 학습

특강

누구나 100점 TEST

생활 속 과학 / 사고 쑥쑥 / 논리 탄탄

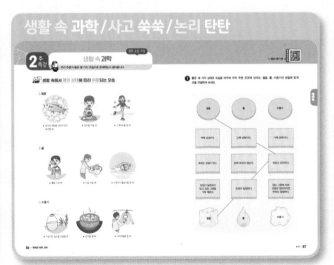

· 한 주에 배운 내용을 확인하는 누구나 100점 맞는 TEST
· 재미있고 새로운 유형의 특강으로 창의력, 사고력, 논리력 UP!

재미있게 똑똑해지네?

하루하루
조금씩 기초부터 쌓다 보면
어느새 자신감이 생겨.

똑똑한 하루 과학 차례

3주

4주

똑똑한 하루 과학을 함께할 친구들

봉박사

엉뚱한 성격의
공주병이 있는
천재 식물학자

정우

단순하지만 탐구심이
많은 활발한
남자 아이

수지

지혜롭지만
좀 까칠한
봉박사의 조카

봉구

사고뭉치지만 후각이
뛰어난 봉박사가
키우는 강아지

1주

식물의 생활

1주에는 무엇을 공부할까? ❶

들이나 산에서 흔히 볼 수 있는 식물을 조사하자.

네. 민들레부터 소나무까지 다양하게 있어요.

민들레는 풀이고, 소나무는 나무야.

풀과 나무의 공통점은 뭘까?

뿌리, 줄기, 잎이 있고, 잎은 대부분 초록색이죠.

여기 연못에도 여러 가지 식물이 살고 있어.

© Elena Elisseeva / shutterstock.com

식물은 들이나 산에서만 사는 게 아니네요.

그렇단다. 사막 같은 환경에서도 살아가는 식물이 있지. 식물은 사는 곳에 따라 적응해.

선인장은 굵은 줄기에 물을 저장하여 사막에서 살 수 있어.

© Ilyshev Dmitry / shutterstock.com

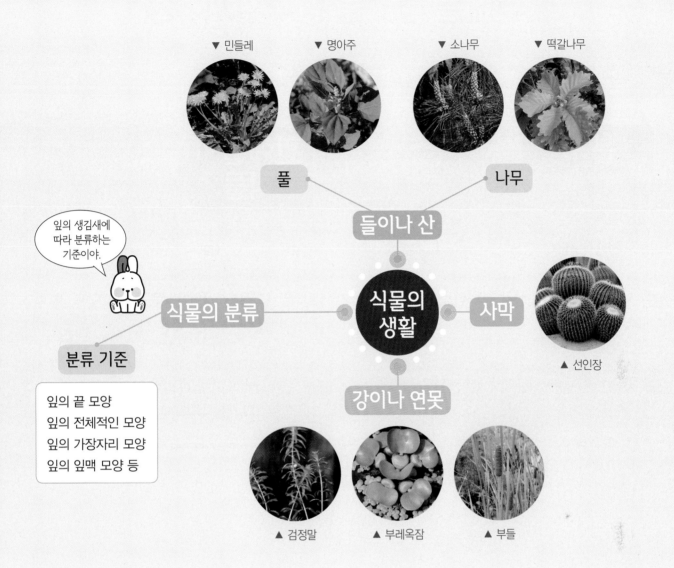

▼ 민들레 ▼ 명아주 ▼ 소나무 ▼ 떡갈나무

풀 나무

들이나 산

잎의 생김새에 따라 분류하는 기준이야.

식물의 분류

식물의 생활

사막

▲ 선인장

분류 기준

잎의 끝 모양
잎의 전체적인 모양
잎의 가장자리 모양
잎의 잎맥 모양 등

강이나 연못

▲ 검정말 ▲ 부레옥잠 ▲ 부들

잎의 생김새에 따라 분류하는 방법과 사는 곳에 따라 식물의 특징은 어떻게 다른지 알고 식물의 특징을 활용한 예를 기억해!

분류

分 類
나눌 분 무리 류

뜻 여러 사물을 공통점과 차이점을 바탕으로 무리 짓는 것

예 재활용품을 플라스틱인 것과 종이인 것으로 **분류** 했어요.

한해살이 식물

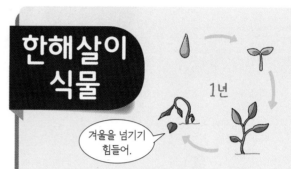

뜻 일 년 동안 싹이 터서 자라고 꽃이 피고 열매를 맺은 다음 죽는 식물

예 봄에 싹이 터서 겨울이 되기 전에 죽는 벼는 **한해살이 식물**이에요.

여러해살이 열매

뜻 2년 이상 여러 해 동안 살아가는 식물

예 소나무, 떡갈나무, 은행나무는 여러 해 동안 사는 **여러해살이 식물**이에요.

부레옥잠

뜻 잎자루가 공 모양으로 부풀어 있으며 물 위에 떠서 사는 식물

예 **부레옥잠**의 잎자루에는 공기주머니가 있어서 물 위에 뜨기 좋아요.

사는 곳에 따른 식물의 특징에 관련된 용어가 있어. 특히 사는 곳에 따른 식물과 용어, 개념은 꼭 기억해.

1주

적응

適 應
맞을 적 응할 응

사막에 적응해서 잘 살아.

뜻 생물이 오랜 기간에 걸쳐 주변 환경에 적합하게 변화되어 가는 것

예 선인장의 모습은 사막의 환경에 **적응**한 결과예요.

선인장

仙 人 掌
신선 선 사람 인 손바닥 장

통통한 줄기와 가시!

뜻 대부분 가시가 있고, 줄기는 공 또는 원기둥 모양으로 굵고 통통하며 건조한 환경에서도 잘 자라는 식물

예 선인장은 굵은 줄기에 물을 저장하여 건조한 날씨에도 잘 견딜 수 있어요.

도꼬마리 열매

도꼬마리 열매를 본딴 거야.

도꼬마리 열매 → 찍찍이 테이프

뜻 한해살이 풀인 도꼬마리의 열매는 가시 끝부분이 갈고리 모양으로 동물의 털 등에 잘 붙음.

예 찍찍이 테이프는 **도꼬마리 열매**의 특징을 활용하여 만든 것이에요.

잎자루가 공처럼 부풀어 있어.

잎자루 안에 공기주머니가 있어 물에 잘 뜰 수 있어.

물에 떠서 사는 식물인 부레옥잠과 사막에서 사는 선인장이 살아가는 환경에 적응한 결과야.

줄기는 굵고 통통하며, 가시가 있어.

선인장의 이런 생김새 덕분에 사막에서 살 수 있어.

잎의 생김새에 따른 분류

 채집한 식물이 사라졌어!

 **용어 체크**

잎에서 선처럼 보이는 것을 말해.

채집

여기저기 다니면서 자료로서 가치 있는 것을 널리 찾아서 모으는 것

예 곤충 채집, 식물 채집

예 식물의 잎을 [　①　] 할 때는 필요한 만큼만 잎과 줄기가 연결된 잎자루 부분을 자른다.

▲ 잎의 생김새

잎맥

잎몸　　잎자루

정답 ① 채집

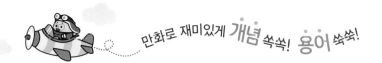
잎의 생김새 특징을 살펴라!

식물에 발이 달린 것도 아닌데 사라졌다니 그게 무슨 말이에요?

모르겠어. 어제만 해도 분명히 여기 있었는데……

저희가 찾아드릴게요.

그럴래?

어떻게 생긴 식물이에요?

이 식물은 내가 발견한 새로운 종이야. 이름도 내 이름을 따서 '봉풀'이라고 지었어.

헉~, 그런 식물을 잃어버린 거예요?

봉풀이의 생김새를 설명할게. 잎의 생김새에 따라 ◉ 분류하면 이런 식물 잎들과 같이 분류할 수 있어.

분류 기준 : 잎의 개수는 여러 개인가?

토끼풀   인삼   딸기

봉풀이는 잎자루 끝에 3개의 별 모양의 잎이 달려 있어.

두리번

음~, 별 모양이라고요?

박사님! 혹시, 저거……

안돼~

큰일 났군.

멍멍

용어 체크

◉ **분류**

여러 사물을 공통점과 차이점을 바탕으로 무리 짓는 것

예 • 여러 가지 식물의 잎은 생김새에 따라 [❶   ]할 수 있다.

• 여러 가지 도형을 각이 있는 것과 각이 없는 것으로 [❷   ]할 수 있다.

각이 있는가?

그렇다.   그렇지 않다.

▲ 도형 분류하기

정답 ❶ 분류 ❷ 분류

1 여러 가지 식물의 잎은 어떻게 생겼을까?

잎의 전체적인 모양,
끝 모양, 가장자리 모양,
잎맥 모양, 개수 등을
살펴봐.

단풍나무

• 잎은 손바닥 모양이고 깊게 갈라져 있음.
• 잎의 끝은 뾰족함.
• 잎의 가장자리는 **톱니** 모양임.

소나무

• 바늘처럼 잎의 끝이 뾰족함.
• 잎은 한곳에 두 개씩 뭉쳐남.

강아지풀

• 잎은 긴 편임.
• 잎맥은 나란함.
• 잎의 가장자리에 털이 있음.

토끼풀

• 잎은 한곳에 세 개씩 남.
• 잎의 끝은 둥긂.
• 잎의 가장자리는 **톱니** 모양임.

가운데 부분이 갈라지는
것도 있어요.

은행나무

• 잎은 부채 모양임.
• 잎의 끝은 물결 모양임.

식물의 잎은 **전체적인 모양, 끝 모양, 가장자리 모양, 잎맥 모양** 등 생김새가 ❶(다양 / 일정)합니다.

2 잎의 생김새에 따라 식물을 어떻게 분류할 수 있을까?

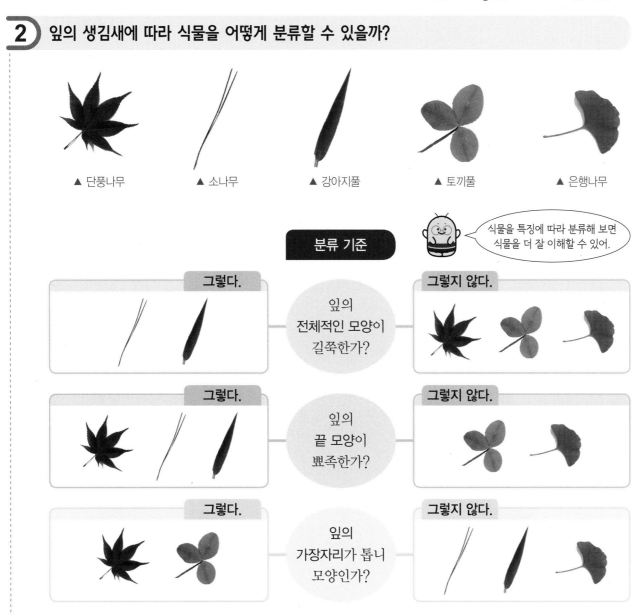

▲ 단풍나무　　▲ 소나무　　▲ 강아지풀　　▲ 토끼풀　　▲ 은행나무

분류 기준

식물을 특징에 따라 분류해 보면 식물을 더 잘 이해할 수 있어.

그렇다. | 잎의 전체적인 모양이 길쭉한가? | **그렇지 않다.**

그렇다. | 잎의 끝 모양이 뾰족한가? | **그렇지 않다.**

그렇다. | 잎의 가장자리가 톱니 모양인가? | **그렇지 않다.**

식물은 잎의 전체적인 모양, 끝 모양, 가장자리 모양, 잎맥 모양, 개수 등 **❷**(뿌리 / 줄기 / 잎)의 생김새에 따라 분류 기준을 세워 분류할 수 있습니다.

정답 **❶** 다양 **❷** 잎

개념 체크

○ 정답과 풀이 1쪽

1 잎의 생김새를 관찰할 때 전체적인 모양, 가장자리 ☐☐ 등을 살펴봅니다.

2 소나무와 토끼풀 중 ☐☐☐ 잎은 한곳에서 세 개씩 납니다.

3 식물의 잎을 분류하는 ☐☐으로 전체적인 모양, 잎맥 모양, 개수 등이 있습니다.

보기
· 모양　· 기준
· 토끼풀　· 소나무

1 다음 잎의 생김새를 관찰한 내용을 줄로 바르게 이으시오.

(1)  ·

(2) 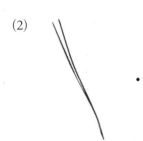 ·

(3) 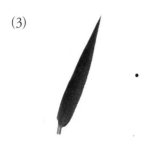 ·

(4)  ·

· ㉠ 잎은 긴 편이고, 잎맥은 나란함.

· ㉡ 잎은 부채 모양이고, 잎의 끝은 물결 모양임.

· ㉢ 잎의 끝은 뾰족하고, 잎의 가장자리가 톱니 모양임.

· ㉣ 바늘처럼 잎이 뾰족하고, 한곳에 두 개씩 뭉쳐남.

2 다음 중 오른쪽 잎을 관찰한 내용으로 옳은 것은 어느 것입니까?

( )

① 잎의 끝은 둥글다.

② 잎은 손바닥 모양이다.

③ 잎의 가장자리에 털이 있다.

④ 잎은 한곳에 두 개씩 뭉쳐난다.

⑤ 잎의 가장자리는 물결 모양이다.

▲ 토끼풀

3 다음의 여러 가지 식물의 잎을 분류 기준에 따라 분류하여 빈칸에 해당하는 잎의 기호를 쓰시오.

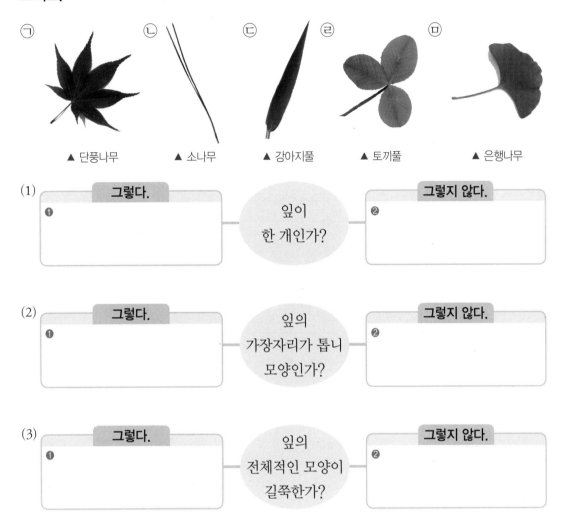

ⓐ ▲ 단풍나무   ⓑ ▲ 소나무   ⓒ ▲ 강아지풀   ⓓ ▲ 토끼풀   ⓔ ▲ 은행나무

(1)
그렇다.	잎이 한 개인가?	그렇지 않다.
❶		❷

(2)
그렇다.	잎의 가장자리가 톱니 모양인가?	그렇지 않다.
❶		❷

(3)
그렇다.	잎의 전체적인 모양이 길쭉한가?	그렇지 않다.
❶		❷

🐻 집중 **연습 문제** **잎의 분류**

4 다음 중 여러 가지 식물의 잎의 분류 기준으로 적합한 것은 ○표, 적합하지 <u>않은</u> 것은 ×표를 하시오.

(1) 잎의 개수 ( )

(2) 잎의 끝 모양 ( )

(3) 잎의 아름다움 ( )

(4) 잎의 전체적인 모양 ( )

> 분류 기준은 누가 분류해도 결과가 같아야 해.

풀과 나무는 어떻게 다를까?

용어 체크

풀

줄기가 연하고 나이테가 없으며, 대부분 1년 살다가 죽는 식물. 여러 해 사는 풀도 있음.

예 토끼풀, 강아지풀, 민들레 등은 우리 주위에서 흔히 볼 수 있는 ❶□□□이다.

나무

줄기가 단단하고 여러 해 동안 살며, 한 해가 지날 때마다 조금씩 자라는 식물

예 ❷□□□는 줄기가 단단하고 여러 해 동안 살 수 있다.

정답 ❶ 풀 ❷ 나무

1
주

 봉풀이는 한해살이 식물이 아니야!

용어 체크

⊙ 한해살이 식물

일 년 동안 싹이 터서 자라고 꽃이 피고 열매를 맺은 다음 죽는 식물

예 풀은 대부분 일 년만 사는 ❶☐☐ 살이 식물이다.

⊙ 여러해살이 식물

일 년보다 긴 여러 해 동안 살아가는 식물

예 나무는 모두 2년 이상 사는 ❷☐☐ 살이 식물로 해마다 조금씩 자란다.

정답 ❶ 한해 ❷ 여러해

4-2 • **17**

1 들이나 산에서는 어떤 식물이 살까?

들에는 풀이 많이 있어.

산에는 소나무와 같이 키가 큰 나무들이 많아.

풀

나무

민들레

- 잎이 한곳에서 뭉쳐나고 하나의 잎은 톱니 모양으로 갈라져 있음.
- 꽃은 노란색이고 열매는 바람에 날아감.

소나무

- 키가 크고 솔방울이 달려 있으며, 잎은 한곳에서 두 개씩 뭉쳐나고 바늘같이 뾰족함.
- 줄기는 굵고 거칠음.

명아주

- 민들레보다 키가 크고 잎의 가장자리는 톱니 모양임.
- 잎은 삼각형 모양임.

떡갈나무

- 키가 크고 줄기는 회갈색임.
- 잎은 전체적으로 끝이 더 넓은 달걀 모양이고, 잎의 가장자리는 톱니 모양임.

☑ 들이나 산에서 사는 식물은 민들레, 명아주와 같은 ❶(풀 / 나무)와/과 소나무, 떡갈나무와 같은 ❷(풀 / 나무)로 분류할 수 있습니다.

2 들이나 산에서 사는 식물의 공통점과 차이점을 무엇일까?

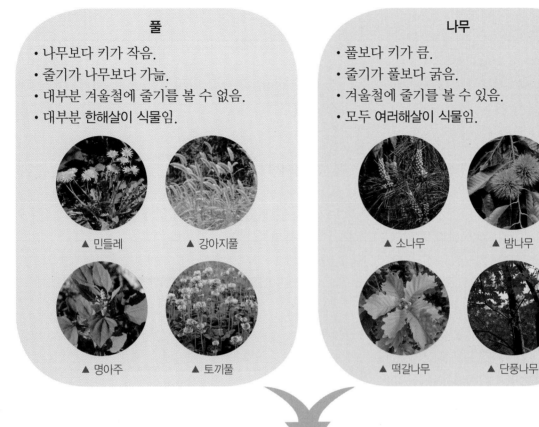

풀
- 나무보다 키가 작음.
- 줄기가 나무보다 가늘.
- 대부분 겨울철에 줄기를 볼 수 없음.
- 대부분 한해살이 식물임.

▲ 민들레　　▲ 강아지풀

▲ 명아주　　▲ 토끼풀

나무
- 풀보다 키가 큼.
- 줄기가 풀보다 굵음.
- 겨울철에 줄기를 볼 수 있음.
- 모두 여러해살이 식물임.

▲ 소나무　　▲ 밤나무

▲ 떡갈나무　　▲ 단풍나무

공통점
- 뿌리, 줄기, 잎이 있음.
- 잎 색깔이 대부분 초록색임.
- 필요한 양분을 스스로 만듦.

☑ ③(들이나 산 / 강이나 바다)에서 사는 식물은 대부분 땅에 뿌리를 내리며, 줄기와 잎이 잘 구분됩니다.

정답 ① 풀 ② 나무 ③ 들이나 산

🐻 **개념 체크**

정답과 풀이 1쪽

1 들이나 산에서 사는 식물은 크게 [　] 과 [　] [　] 로 분류할 수 있습니다.

2 민들레와 명아주는 [　] 이고, 소나무와 떡갈나무는 [　] [　] 입니다.

3 풀은 대부분 [　] [　] 살이 식물이고, 나무는 모두 [　] [　] [　] 살이 식물입니다.

보기
- 풀　　• 나무
- 한해　　• 여러해

1 다음은 들이나 산에서 식물을 본 경험입니다. ( ) 안의 알맞은 말에 ○표를 하시오.

(들 / 산)에는 풀이 많이 있었고, (들 / 산)에는 키가 큰 나무들이 많았습니다.

2 다음과 같은 특징이 있는 식물은 어느 것입니까? ( )

• 잎은 한곳에서 뭉쳐나고 하나의 잎은 톱니 모양으로 갈라져 있습니다.
• 꽃은 주로 노란색이고, 열매는 바람이 불면 쉽게 날아갑니다.

① ▲ 명아주 ② ▲ 소나무

③ ▲ 민들레 ④ ▲ 강아지풀

3 다음은 들이나 산에서 사는 식물을 풀과 나무로 분류한 것입니다. 빈칸에 들어갈 알맞은 말을 각각 쓰시오.

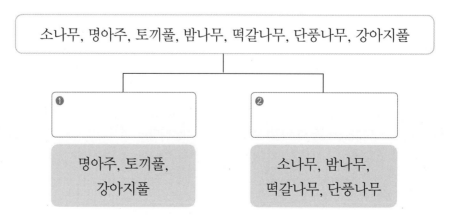

소나무, 명아주, 토끼풀, 밤나무, 떡갈나무, 단풍나무, 강아지풀

❶ ❷

명아주, 토끼풀, 강아지풀

소나무, 밤나무, 떡갈나무, 단풍나무

4 다음 중 풀과 나무의 공통점으로 옳은 것을 두 가지 고르시오. (,   )

① 한해살이 식물이다.　　　　　② 여러해살이 식물이다.

③ 뿌리, 줄기, 잎이 있다.　　　　④ 대부분 잎은 초록색이다.

⑤ 필요한 양분을 스스로 만들지 못한다.

5 다음 중 풀과 나무의 특징에 대한 설명으로 옳은 것에는 ○표, 옳지 <u>않은</u> 것에는 ×표를 하시오.

(1) 풀은 나무보다 키가 작습니다.　　　　　　　　　　　　(　　)

(2) 나무는 풀보다 줄기가 굵습니다.　　　　　　　　　　　(　　)

(3) 풀은 모두 겨울철에 줄기를 볼 수 있습니다.　　　　　　(　　)

(4) 풀은 땅에 뿌리를 내리지 못하고 땅 위에 있습니다.　　(　　)

(5) 풀은 대부분 한해살이 식물입니다.　　　　　　　　　　(　　)

(6) 나무는 모두 여러해살이 식물입니다.　　　　　　　　　(　　)

똑똑한 하루 퀴즈

6 다음 □ 안에 들어갈 알맞은 낱말을 말 상자에서 찾아 모두 ○표를 하세요. 말 상자의 낱말은 가로, 세로, 대각선에 숨어 있어요.

줄	여	뿌	★
기	러	★	리
한	해	살	이
★	살	열	매
풀	이	나	무

❶ □□는 줄기가 단단하고 여러 해 동안 살며, 한 해가 지날 때마다 조금씩 자람.

❷ 일 년 동안 싹이 터서 자라고 꽃이 피고 열매를 맺은 다음 죽는 식물. □□□□ 식물

❸ 여러 해 동안 살아가는 식물. □□□□□ 식물

❹ 풀과 나무는 □□, 줄기, 잎이 있음.

3_일 강이나 연못에서 사는 식물

부레옥잠은 어떻게 물 위에 뜰까?

이 강을 타고 가면 봉풀이가 서식하는 곳에 빨리 도착할 수 있어.

이모, 배가 보이지 않는데요?

저기 있잖아.

이, 이걸 타라고요?

뭐해? 어서 타!

특이하게 생긴 배네요.

물 위에 떠서 사는 ◉ 부레옥잠의 잎자루 모양으로 만들어 봤지. 배의 이름은 봉1호!

공기주머니가 있는 부레옥잠의 잎자루 특징을 잘 살리긴 했네요.

그런데 이 배는 움직일 수 있나요?

자. 식물학자가 만든 잎자루 노를 사용하면 돼.

척

이렇게 생긴 노로 배를 젓기 힘들어요.

용어 체크

◉ **부레옥잠**

잎자루가 공 모양으로 부풀어 있으며 그 안에 공기가 들어 있어 물 위에 떠서 사는 식물

예 부레옥잠의 [❶] 는 공 모양으로 부풀어 있다.

잎자루

정답 ❶ 잎자루

만화로 재미있게 개념 쏙쏙! 용어 쑥쑥!

1주

🐶 ★ 식물의 적응력은 놀라워!

내가 가리키는 방향으로 출발해. 어서!

이모도 돕기나 하세요.

돕고 싶어도 도울 수 없어. 배에 노가 두 개밖에 없거든. 그리고 배에는 항상 선장이 있어야 해.

치이~. 일부러 두 개밖에 안 만들었을 거야.

둘이서만 저어도 배가 생각보다 빨라.

그러게. 허술한 잎 모양의 배인데도 제법 빠르네.

그건 배 옆에 자란 수많은 부레옥잠 덕분이지.

어! 정말 부레옥잠들이 있네.

어떻게 배 옆에 부레옥잠들이 자랐지?

내가 특별하게 키운 덕분이란다.

물 위에 떠서 살기 좋게 📍**적응**한 부레옥잠 덕분에 배가 물에 잘 뜨게 되어 속도가 빠른 거야.

식물의 적응력은 대단해.

척

이모, 아직 멀었어요?

저쪽이야! 저기로 보이는 강가로 가면 돼.

🐷 용어 체크

📍 **적응**

생물이 오랜 기간에 걸쳐 주변 환경에 적합하게 변화되어 가는 것

예 잎자루에 공기주머니가 있는 부레옥잠의 생김새는 물이

많은 주변 환경에 ❶ [　　　] 한 것이다.

 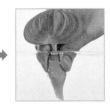

▲ 부레옥잠의 잎자루를 물속에서 누르면 공기 방울이 나옴.

정답 ❶ 적응

1 강이나 연못에는 어떤 식물이 살까?

🌐 식물의 특징

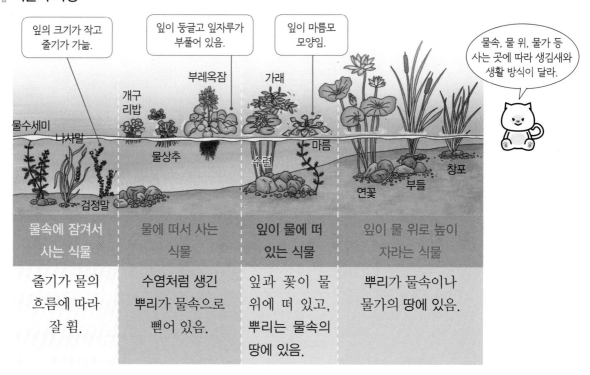

잎의 크기가 작고 줄기가 가늚.

잎이 둥글고 잎자루가 부풀어 있음.

잎이 마름모 모양임.

물속, 물 위, 물가 등 사는 곳에 따라 생김새와 생활 방식이 달라.

부레옥잠
개구리밥
가래
물수세미
나사말
물상추
마름
수련
창포
연꽃
부들
검정말

물속에 잠겨서 사는 식물	물에 떠서 사는 식물	잎이 물에 떠 있는 식물	잎이 물 위로 높이 자라는 식물
줄기가 물의 흐름에 따라 잘 휨.	수염처럼 생긴 뿌리가 물속으로 뻗어 있음.	잎과 꽃이 물 위에 떠 있고, 뿌리는 물속의 땅에 있음.	뿌리가 물속이나 물가의 땅에 있음.

🧪 식물의 특징을 기준으로 분류하기

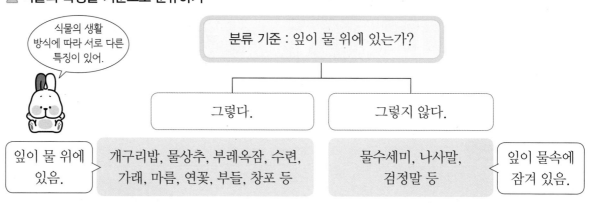

식물의 생활 방식에 따라 서로 다른 특징이 있어.

분류 기준 : 잎이 물 위에 있는가?

그렇다.   그렇지 않다.

잎이 물 위에 있음.

개구리밥, 물상추, 부레옥잠, 수련, 가래, 마름, 연꽃, 부들, 창포 등

물수세미, 나사말, 검정말 등

잎이 물속에 잠겨 있음.

☑️ 강이나 연못에는 물속에 잠겨서 사는 식물, 물에 떠서 사는 식물, 잎이 물에 떠 있는 식물, ❶(잎 / 뿌리)이/가 물 위로 높이 자라는 식물이 있습니다.

실험 동영상

2 부레옥잠이 물에 뜨는 까닭을 알아볼까?

잎자루

▲ 부레옥잠

잎은 둥글고 잎자루가 부풀어 있는 모양이야.

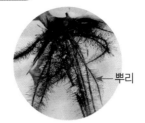

뿌리

▲ 부레옥잠의 뿌리

뿌리는 수염처럼 생겼네.

부레옥잠 잎자루의 특징

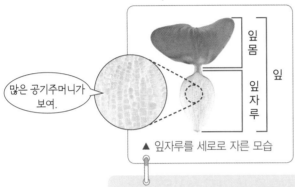

많은 공기주머니가 보여.

잎몸 / 잎자루 } 잎

▲ 잎자루를 세로로 자른 모습

공기 방울이 위로 올라가.

▲ 자른 잎자루를 물속에서 누를 때

부레옥잠이 물에 떠서 살 수 있는 까닭 : 잎자루에 있는 공기주머니의 공기 때문에 물에 떠서 살 수 있음.

적응

• 뜻 : 생물이 오랜 기간에 걸쳐 주변 환경에 적합하게 변화되어 가는 것
• 식물이 강이나 연못의 환경에 적응한 예
·나사말 : 잎이 좁고 긴 모양이어서 물 흐름에 영향을 덜 받음.
·개구리밥 : 잎이 넓어서 물에 떠서 살기 적합함.

☑ 부레옥잠은 ❷(뿌리 / 잎자루)에 있는 공기주머니의 공기 때문에 물에 떠서 살 수 있습니다.

정답 ❶ 잎 ❷ 잎자루

개념 체크

정답과 풀이 1쪽

1 검정말, 수련, 부들 등은 강이나 ☐☐ 에서 사는 식물입니다.

2 물에 떠서 사는 식물은 수염처럼 생긴 ☐☐ 가 물속으로 뻗어 있습니다.

3 부레옥잠은 잎자루에 ☐☐ 주머니가 있어서 물에 뜰 수 있습니다.

보기
• 연못 • 숲속
• 줄기 • 뿌리
• 공기 • 액체

[1~4] 다음은 강이나 연못에서 사는 식물입니다. 물음에 답하시오.

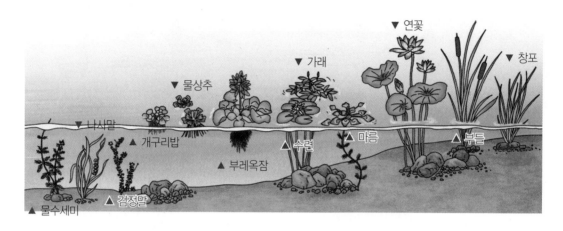

1 위의 식물 중 물속에 잠겨서 사는 식물을 세 가지 쓰시오.

( )

2 위의 식물 중 잎이 물 위로 높이 자라는 식물을 세 가지 쓰시오.

( )

3 다음 중 위 식물의 특징에 대한 설명으로 옳은 것에는 ○표, 옳지 않은 것에는 ×표를 하시오.

(1) 검정말은 잎의 크기가 작고, 줄기가 물의 흐름에 따라 잘 휩니다. ( )

(2) 마름은 물에 떠서 살고 수염처럼 생긴 뿌리가 물속으로 뻗어 있습니다. ( )

(3) 부들은 잎이 물에 떠 있고, 뿌리는 물속의 땅에 있습니다. ( )

4 위의 식물을 다음의 분류 기준에 따라 분류하시오.

분류 기준 : 잎이 물 위에 있는가?

그렇다.	그렇지 않다.
❶	❷

5 다음 중 오른쪽 부레옥잠에 대한 설명으로 옳은 것을 두 가지 고르시오. (,   )

① 물에 떠서 산다.

② 잎의 색깔은 초록색이다.

③ 잎몸이 공처럼 부풀어 있다.

④ 뿌리는 물속의 땅에 있다.

⑤ 뿌리는 많은 공기를 저장하고 있다.

6 다음은 물에 떠서 사는 식물이 강이나 연못에 환경에 적응한 내용입니다. ☐ 안에 들어갈 알맞은 말을 쓰시오.

> 부레옥잠과 같이 물에 떠서 사는 식물은 잎에 [   ]이/가 있거나 잎이 넓어서 쉽게 물에 뜰 수 있습니다.

(   )

집중 연습 문제 **강이나 연못에서 사는 식물의 특징**

7 다음의 강이나 연못에서 사는 식물의 특징을 줄로 바르게 이으시오.

(1) 물에 떠서 사는 식물 •

• ㉠ 줄기가 물의 흐름에 따라 잘 휨.

(2) 물속에 잠겨서 사는 식물 •

• ㉡ 수염처럼 생긴 뿌리가 물속으로 뻗어 있음.

(3) 잎이 물 위로 높이 자라는 식물 •

• ㉢ 뿌리가 물속이나 물가의 땅에 있음.

강이나 연못에서 사는 식물은 사는 곳에 따라 생김새와 생활 방식이 달라.

4일 사막에서 사는 식물 / 생활에서 식물을 활용한 예

 사막에서 살 수 있는 식물이 있을까?

용어 체크

선인장

대부분 가시가 있고, 줄기는 공 모양 또는 원기둥 모양으로 굵고 통통함. 건조한 환경에서도 잘 자랄 수 있음.

예 사막에서 사는 [①   ]은 줄기가 굵고 통통하며 가시가 있다.

정답 ❶ 선인장

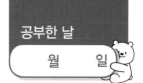

옷에 잔뜩 붙은 도꼬마리 열매

용어 체크

도꼬마리 열매
열매의 가시는 끝이 갈고리 모양으로 동물의 털에 붙을 수 있음.

예 ❶ [   ] 열매는 동물의 털에 붙어 씨를 멀리 퍼뜨린다.

찍찍이 테이프
한쪽 테이프에는 갈고리, 다른 한쪽 테이프에는 걸림 고리가 있어 떼었다 붙였다 할 수 있음.

예 ❷ [   ]는 도꼬마리 열매의 생김새를 활용해 만들었다.

정답 ❶ 도꼬마리 ❷ 찍찍이 테이프

1 사막에는 어떤 식물이 살까?

사막은 비가 적게 오고 건조하며, 낮에는 햇빛이 강하고 낮과 밤의 온도 차가 커.

🌐 **사막에서 사는 선인장의 특징**

가시
바늘과 같이 뾰족함.

줄기
• 굵고 통통함.
• 줄기를 자른 면이 미끄럽고 축축함.

▲ 가로로 자른 모습

선인장이 사막에서 살 수 있는 까닭

• 굵은 줄기에 물을 저장하여 건조한 날씨에도 잘 견딜 수 있음.
• 가시가 있어 물이 필요한 동물이 공격하는 것을 피할 수 있고, 물의 증발을 막을 수 있음.

🧪 **사막에서 사는 식물의 특징**

▲ 금호선인장

▲ 기둥선인장

▲ 바오바브나무
키가 크고 줄기가 굵어서 물을 많이 저장할 수 있어요.

▲ 용설란

사막에서 사는 식물의 특징

• 잎이 작거나 가시로 변하여 물의 증발을 막음.
• 선인장은 굵은 줄기에, 용설란은 크고 두꺼운 잎에 물을 저장함.
• 건조한 환경에 잘 견딜 수 있는 생활 방식이 있음.

✅ 사막에는 ❶(선인장 / 민들레), 용설란, 바오바브나무 등이 사는데, 사막의 환경에 적응한 생김새와 생활 방식이 있습니다.

2 생활에서 식물의 특징을 활용한 예를 알아볼까?

도꼬마리 열매의 생김새를
활용한 찍찍이 테이프

도꼬마리 열매의 가시 끝 갈고리 모양이 동물의
털이나 옷에 잘 붙는 성질을 활용하여 만듦.

단풍나무 열매의 생김새를
활용한 날개가 하나인 선풍기

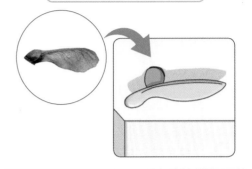

떨어지면서 회전하는 단풍나무 열매의
생김새를 활용하여 만듦.

느릅나무의 잎의 생김새를
활용한 빗물을 모으는 장치

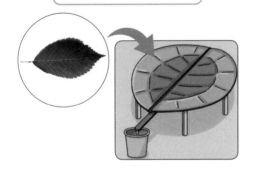

물 부족 지역에서는 느릅나무 잎의 생김새를
활용해 빗물 모으는 장치를 만듦.

연잎의 특징을 활용한 물이
스며들지 않는 옷

비에 젖지 않는 연잎의 특징을 활용하여
물이 스며들지 않는 옷을 만듦.

✓ ②(도꼬마리 / 단풍나무) 열매의 특징을 활용한 찍찍이 테이프, 단풍나무 열매의 생김새를 활용한
날개가 하나인 선풍기, ③(연잎 / 느릅나무 잎)의 특징을 활용한 방수 옷 등이 있습니다.

정답 ① 선인장 ② 도꼬마리 ③ 연잎

개념 체크

○ 정답과 풀이 2쪽

1 선인장은 다른 식물에서 볼 수 있는 모양의 잎이 없고 ☐☐ 가 있습니다.

2 선인장의 굵은 ☐☐ 는 물을 저장하기에 좋습니다.

3 찍찍이 테이프는 ☐☐☐☐ 열매의 생김새를 활용한 것입니다.

보기
• 줄기
• 가시
• 도꼬마리
• 느릅나무

1 다음 중 사막의 환경에 대한 설명으로 옳은 것에는 ○표, 옳지 <u>않은</u> 것에는 ×표를 하시오.

(1) 낮에도 햇빛이 약합니다. ( )

(2) 비가 적게 오고 건조합니다. ( )

(3) 낮과 밤의 온도 차가 큽니다. ( )

2 오른쪽 선인장의 생김새에 대한 설명으로 옳지 <u>않은</u> 것은 어느 것입니까? ( )

① 가시가 있다.

② 잎이 통통하다.

③ 줄기는 굵은 편이다.

④ 줄기의 색깔은 초록색이다.

⑤ 가시는 바늘과 같이 뾰족하다.

3 다음 중 선인장의 줄기를 자른 면을 관찰한 결과를 <u>틀리게</u> 말한 친구의 이름을 쓰시오.

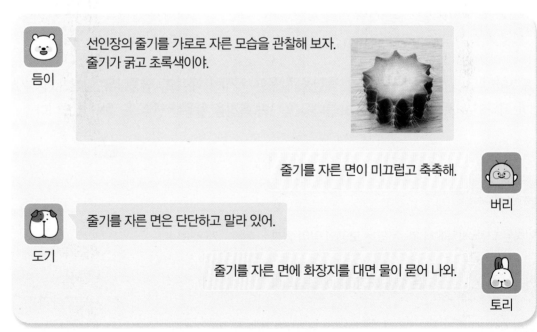

들이: 선인장의 줄기를 가로로 자른 모습을 관찰해 보자. 줄기가 굵고 초록색이야.

버리: 줄기를 자른 면이 미끄럽고 축축해.

도기: 줄기를 자른 면은 단단하고 말라 있어.

토리: 줄기를 자른 면에 화장지를 대면 물이 묻어 나와.

( )

사막에서 사는 식물 / 생활에서 식물을 활용한 예

4 다음은 선인장이 사막에서 살 수 있는 까닭입니다. ( ) 안의 알맞은 말에 ○표를 하시오.

> • 굵은 줄기에 (물 / 양분)을 저장하여 건조한 날씨에도 잘 견딜 수 있습니다.
> • 잎이 (가시 / 통통한) 모양이라 동물이 함부로 먹지 못합니다.

5 다음 식물의 특징을 우리 생활에서 활용한 예와 줄로 바르게 이으시오.

(1)

▲ 연잎

•

• ㉠

▲ 찍찍이 테이프

(2)

▲ 도꼬마리 열매

•

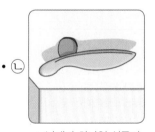

• ㉡

▲ 날개가 하나인 선풍기

(3)

▲ 단풍나무 열매

•

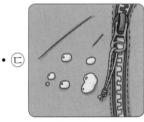

• ㉢

▲ 물이 스며들지 않는 옷

집중 연습 문제 사막에서 사는 식물의 특징

6 다음의 식물이 사막 환경에 적응한 특징에 맞게 ( ) 안의 알맞은 말에 ○표를 하시오.

(1) 선인장 : 굵은 (잎 / 줄기)에 물을 저장합니다.

(2) 용설란 : 크고 두꺼운 (잎 / 줄기)에 물을 저장합니다.

(3) 바오바브나무: 키가 크고 (잎 / 줄기)이/가 굵어서 물을 많이 저장할 수 있습니다.

사막에서 사는 식물은 건조한 환경에 잘 견딜 수 있는 생활 방식이 있어.

1 잎의 생김새에 따른 분류

① 식물의 잎을 분류하는 다양한 기준 : 잎의 전체적인 모양, 잎의 개수, 잎의 가장자리 모양, 잎맥 등

② 식물의 잎 분류하기 예

식물을 분류하는 까닭은 식물의 특징을 이해하는 데 도움이 돼.

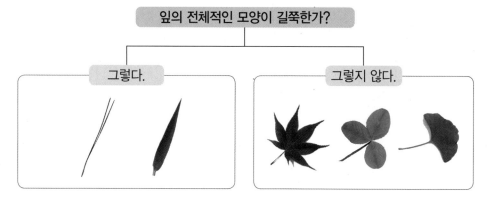

잎의 전체적인 모양이 길쭉한가?

그렇다. | 그렇지 않다.

잎의 가장자리가 톱니 모양인가?

그렇다. | 그렇지 않다.

2 들이나 산에서 사는 식물

줄기가 굵고 해마다 자라.

식물은 사는 곳에 따라 생김새와 생활 방식이 달라.

구분	풀	나무
종류	민들레, 토끼풀, 강아지풀 등	소나무, 밤나무, 떡갈나무 등
차이점	• 나무보다 키가 작고, 줄기가 가늚. • 대부분 한해살이 식물임.	• 풀보다 키가 크고, 줄기가 굵음. • 모두 여러해살이 식물임.
공통점	대부분 땅에 뿌리를 내리고 줄기와 잎은 잘 구분됨.	

▲ 민들레

▲ 토끼풀

▲ 강아지풀

▲ 소나무

▲ 밤나무

▲ 떡갈나무

3 강이나 연못에서
사는 식물

물속, 물 위, 물가
등에 여러 가지 식물이
살고 있고, 서로 다른
특징이 있어.

잎자루에 있는
공기주머니의 공기 때문에
쉽게 물에 뜰 수 있어.

부레옥잠   가래

개구
리밥   물상추

마름

수련

물에 떠서 사는 식물

연꽃   부들   창포

물수세미 나사말 검정말

물속에 잠겨서
사는 식물

잎이 물에 떠
있는 식물

잎이 물 위로
높이 자라는 식물

4 사막에서 사는 식물 / 생활에서 식물을 활용한 예

① **사막에서 사는 식물** : 선인장, 용설란, 바오바브나무 등

② **선인장의 특징**

　• 굵은 줄기는 물을 저장할 수 있습니다.

　• 가시 모양의 잎은 동물로부터 선인장을 보호합니다.

③ **생활에서 식물의 특징을 활용한 예**

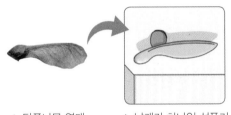

▲ 단풍나무 열매　　▲ 날개가 하나인 선풍기

▲ 연잎　　▲ 물이 스며들지 않는 옷

과학 칼럼

식물의 특징을 활용한 찍찍이 테이프

도꼬마리 열매의 가시는 갈고리처럼 끝이 굽어져 있어
동물의 털이나 옷에 잘 붙을 수 있어요.

도꼬마리 열매의 이런 특징을 활용해 만든 것이 찍찍이
테이프예요. 찍찍이 테이프의 한쪽에는 갈고리가 있고, 다른
한쪽에는 걸림 고리가 있어 붙였다 뗐다 할 수 있어요. 찍찍이
테이프는 현재 운동화, 기저귀, 우주복까지 다양한 곳에서
사용되고 있어요.

도꼬마리 열매▶

▲ 찍찍이 테이프

1일 잎의 생김새에 따른 분류

[1~3] 다음은 여러 가지 식물의 잎입니다. 물음에 답하시오.

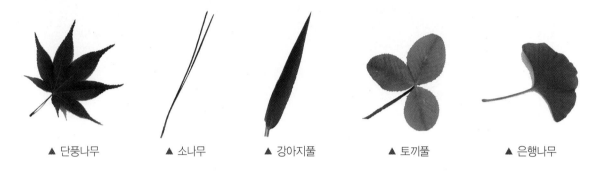

▲ 단풍나무　　▲ 소나무　　▲ 강아지풀　　▲ 토끼풀　　▲ 은행나무

1 다음은 위 식물의 잎의 생김새를 관찰한 내용입니다. 해당하는 식물의 이름을 쓰시오.

(1) 잎의 끝이 둥글고, 잎의 가장자리가 톱니 모양입니다.　(　　　　)

(2) 손바닥 모양이고, 잎의 끝은 뾰족합니다.　(　　　　)

(3) 바늘처럼 잎의 끝이 뾰족하고 잎은 한곳에 두 개씩 뭉쳐납니다.(　　　)

2 다음 중 위의 잎을 분류하는 기준으로 적합하지 <u>않은</u> 것은 어느 것입니까? (　　)

① 잎맥 모양
② 잎의 끝 모양
③ 잎의 가장자리 모양
④ 잎의 전체적인 모양
⑤ 잎 모양의 아름다운 정도

3 다음과 같이 위 식물의 잎을 분류할 수 있는 분류 기준을 한 가지 쓰시오.

그렇다.	분류 기준 ?	그렇지 않다.
소나무, 강아지풀, 단풍나무		토끼풀, 은행나무

(　　　　　　　　　)

2일 들이나 산에서 사는 식물

[4~5] 다음은 들이나 산에서 사는 식물입니다. 물음에 답하시오.

▲ 민들레

▲ 소나무

▲ 명아주

▲ 떡갈나무

4 다음과 같은 특징을 가지고 있는 식물은 어느 것인지 쓰시오.

> • 키가 크고 줄기는 회갈색입니다.
> • 잎은 전체적으로 끝이 더 넓은 달걀 모양이고 잎의 가장자리는 톱니 모양입니다.

(   )

 서술형

5 위 식물을 풀과 나무로 분류하고, 풀과 나무의 차이점을 생김새와 관련지어 한 가지 쓰시오.

(1) 분류하기

풀	나무
❶	❷

(2) 차이점 : _____

_____

6 다음 중 풀과 나무의 공통점으로 옳은 것을 두 가지 고르시오. (,   )

① 땅에 뿌리를 내린다.　　　　　② 뿌리, 줄기, 잎이 있다.

③ 해마다 조금씩 자란다.　　　　④ 모두 한해살이 식물이다.

⑤ 대부분 겨울철에 줄기를 볼 수 있다.

3일 강이나 연못에서 사는 식물

7 다음의 강이나 연못에서 사는 식물의 특징을 바르게 줄로 이으시오.

(1)

▲ 부들

(2)

▲ 마름

(3)

▲ 검정말

(4)

▲ 부레옥잠

• ㉠ 물에 떠서 사는 식물

• ㉡ 잎이 물에 떠 있고 뿌리는 물속 땅에 있는 식물

• ㉢ 물속에 잠겨서 사는 식물

• ㉣ 잎이 물 위로 높이 자라는 식물

8 다음 보기 에서 부레옥잠의 잎자루를 자른 모습에 대한 설명으로 옳은 것을 골라 기호를 쓰시오.

보기
㉠ 잎자루를 자른 면에 많은 물주머니가 보입니다.
㉡ 자른 잎자루를 물에 넣고 손가락으로 누르면 공기 방울이 위로 올라갑니다.
㉢ 잎자루를 자른 면은 미끄럽고 축축하여 부레옥잠이 물에 떠서 살 수 있습니다.

(   )

9 오른쪽 선인장이 사막에서 살 수 까닭으로 옳은 것을 두 가지 고르시오. (,   )

① 키가 크다.

② 굵은 줄기에 물을 저장한다.

③ 잎자루에 공기주머니가 있다.

④ 크고 두꺼운 잎에 물을 저장한다.

⑤ 잎이 가시 모양이라 동물이 함부로 먹지 못한다.

10 다음 중 식물과 생활에서 식물의 특징을 활용한 예를 바르게 짝지은 것에 ○표를 하시오.

(1) 연잎 – 빗물을 모으는 장치   (   )

(2) 단풍나무 열매 – 헬리콥터의 몸통   (   )

(3) 도꼬마리 열매 – 찍찍이 테이프   (   )

 **똑똑한 하루 퀴즈**

11 다음 십자말풀이를 해 보세요.

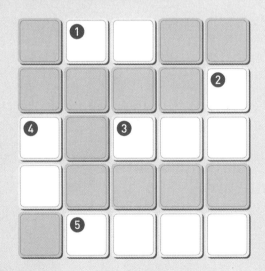

➡️가로

❶ 선인장 등이 사는 비가 적게 오고 건조한 곳

❸ 나무는 모두 □□□살이 식물임.

❺ 열매의 가시 끝부분이 갈고리 모양으로 동물의 털에 잘 붙는 식물

⬇️세로

❷ 풀은 대부분 □□살이 식물임.

❹ 생물이 오랜 기간에 걸쳐 주변 환경에 적합하게 변화되어 가는 것

1 다음의 여러 가지 식물의 잎을 분류 기준에 따라 분류하시오.

▲ 소나무   ▲ 강아지풀

▲ 토끼풀   ▲ 단풍나무

잎의 개수가 한 개인가?

그렇다.   그렇지 않다.

❶   ❷

2 다음 중 위 **1**번 식물의 잎을 분류할 수 있는 기준으로 적합하지 <u>않은</u> 것은 어느 것입니까?

(   )

① 잎맥이 나란한가?

② 잎의 모양이 예쁜가?

③ 잎의 끝이 뾰족한가?

④ 잎의 전체적인 모양이 길쭉한가?

⑤ 잎의 가장자리가 톱니 모양인가?

3 다음과 같은 특징이 있는 식물을 보기에서 골라 쓰고, 풀과 나무 중 어느 것에 해당하는지 쓰시오.

보기

민들레, 명아주, 떡갈나무, 소나무

키가 크고, 잎은 한곳에서 두 개씩 뭉쳐 나고 바늘같이 뾰족합니다.

(   )

4 다음 중 풀과 나무에 대한 설명으로 옳지 <u>않은</u> 것은 어느 것입니까? (   )

① 풀은 나무보다 키가 작다.

② 나무는 모두 풀보다 잎이 넓고 크다.

③ 풀은 대부분 한해살이 식물이다.

④ 나무는 모두 여러해살이 식물이다.

⑤ 나무의 줄기는 겨울철에도 볼 수 있다.

5 다음 중 잎이 물 위에 떠 있고 뿌리는 물속의 땅에 있는 식물은 어느 것입니까? (   )

①    ②

▲ 수련   ▲ 검정말

③    ④

▲ 창포   ▲ 개구리밥

6 다음 중 부레옥잠에 대한 설명으로 옳은 것을 두 가지 고르시오. (,)

▲ 부레옥잠

① 물에 떠서 사는 식물이다.

② 뿌리는 물속의 땅에 있다.

③ 키가 크고 줄기가 튼튼하다.

④ 잎과 줄기에 물을 저장한다.

⑤ 잎자루를 물속에서 누르면 공기 방울이 위로 올라온다.

7 다음의 식물이 사는 곳으로 옳은 것은 어느 것입니까? ( )

▲ 기둥선인장

▲ 금호선인장

▲ 용설란

▲ 바오바브나무

① 들   ② 산   ③ 강

④ 연못   ⑤ 사막

8 다음 중 선인장의 줄기를 자른 면을 관찰한 결과로 옳은 것은 어느 것입니까? ( )

① 공기를 저장한다.

② 속이 텅 비어 있다.

③ 공기주머니가 있다.

④ 자른 면에 물기가 없다.

⑤ 자른 면이 미끄럽고 축축하다.

9 다음은 선인장이 사막에서 살 수 있는 까닭입니다. □ 안에 공통으로 들어갈 알맞은 말을 쓰시오.

• 굵은 줄기에 [ ]을 저장하여 건조한 날씨에도 잘 견딜 수 있습니다.

• 가시 모양의 잎은 [ ]의 증발을 막습니다.

( )

10 다음 보기에서 식물의 특징을 활용한 예에 대한 설명으로 옳은 것을 골라 기호를 쓰시오.

보기

㉠ 식물은 음식으로만 활용됩니다.

㉡ 도꼬마리 열매의 생김새를 활용해 빗물 저장 장치를 만들었습니다.

㉢ 단풍나무 열매의 생김새를 활용해 날개가 하나인 선풍기를 만들었습니다.

( )

1주 특강

생활 속 과학

사는 곳에 따라 식물을 분류해 보고 여러 곳에서 사는 식물을 살펴봅니다.

다양한 환경에서 사는 식물을 알아볼까?

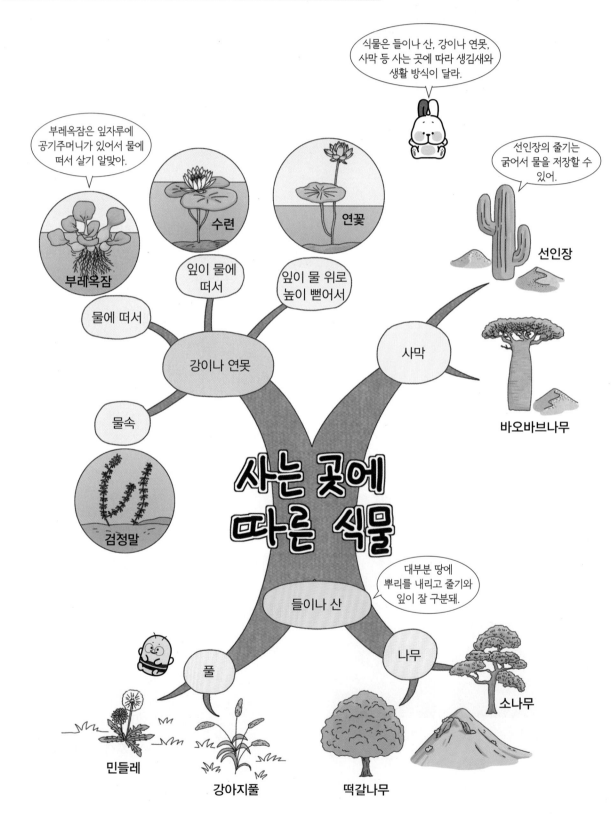

식물은 들이나 산, 강이나 연못, 사막 등 사는 곳에 따라 생김새와 생활 방식이 달라.

부레옥잠은 잎자루에 공기주머니가 있어서 물에 떠서 살기 알맞아.

선인장의 줄기는 굵어서 물을 저장할 수 있어.

대부분 땅에 뿌리를 내리고 줄기와 잎이 잘 구분돼.

사는 곳에 따른 식물

- 강이나 연못
  - 물에 떠서
    - 부레옥잠
    - 수련 (잎이 물에 떠서)
    - 연꽃 (잎이 물 위로 높이 뻗어서)
  - 물속
    - 검정말
- 사막
  - 선인장
  - 바오바브나무
- 들이나 산
  - 풀
    - 민들레
    - 강아지풀
  - 나무
    - 떡갈나무
    - 소나무

1 다음은 다양한 환경에 사는 식물을 그린 그림이에요. 그림에서 사는 곳을 <u>틀리게</u> 그린 식물을 모두 찾아 ○표를 하세요.

2 다음은 강이나 연못에 사는 식물이 그려진 퍼즐 판이에요. 퍼즐 판의 빈 곳 (1)~(3)에 해당하는 퍼즐 조각의 기호를 각각 쓰세요.

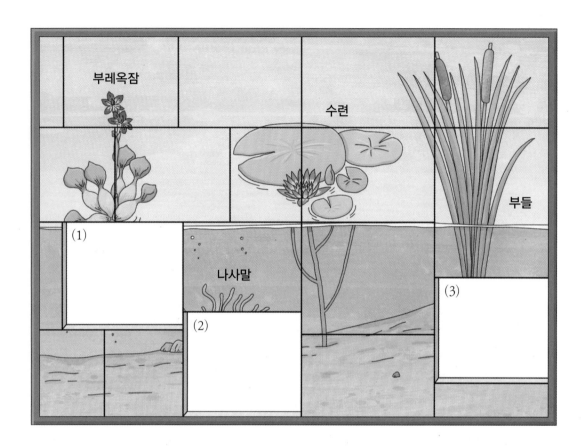

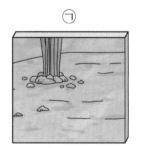

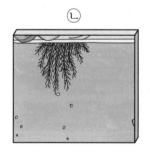

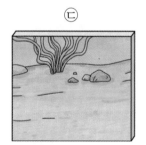

사막의 환경과 그곳에서 사는 식물의 특징을 알아봅니다.

3 낙타가 사막에서 오아시스를 찾고 있어요. 설명을 읽고 답을 따라 가면 오아시스에 도착할 수 있어요. 오아시스까지 가는 길을 찾아 선으로 이어 보세요.

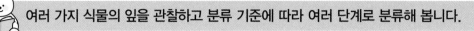
4 다음의 여러 가지 잎을 분류 기준에 따라 분류하여 기호를 쓰세요.

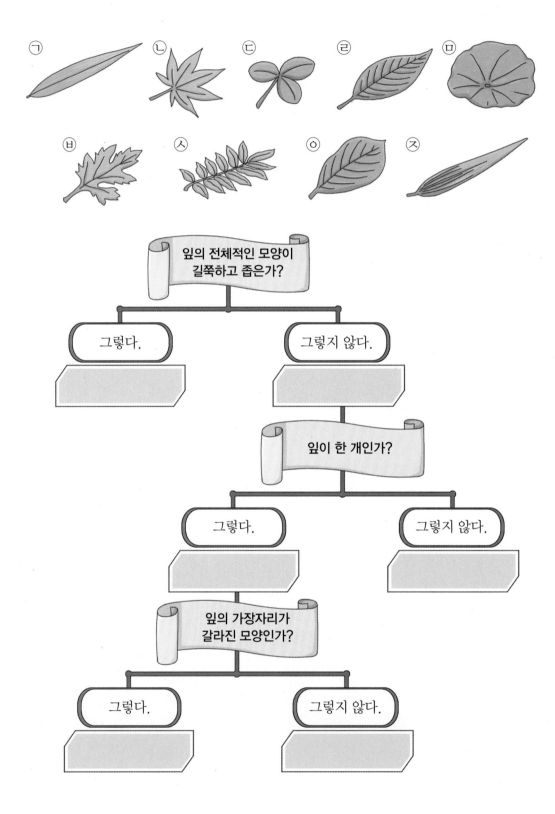

5 다음 만화를 읽고 '이것'은 무엇인지, 암호표를 보고 암호로 써 보세요.

암호표						
①	②	③	④	⑤	⑥	⑦
릅	열	꼬	풍	리	느	연

⑧	⑨	⑩	⑪	⑫	⑬	⑭
도	단	나	매	잎	무	마

암호

'이것'의 암호명은 ◯◯◯◯◯ ◯◯입니다.

물의 상태 변화

2주

2주에는 무엇을 공부할까? ❶

물은 얼음, 물, 수증기의 세 가지 상태로 있고, 서로 상태 변화할 수 있어.

▲ 고드름이 녹으면 물이 됨.

물 ⇄ 얼음

얼거나 녹음

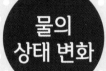

물은 상태가 변하면서 끊임없이 순환해.

물의 상태 변화

순환

▲ 물의 순환

물 → 수증기

증발   끓음

▲ 젖은 빨래가 마름.

▲ 물이 끓음.

응결

수증기 → 물

▲ 맑은 날 이른 아침 풀잎에 이슬이 생김.

증발과 끓음은 물이 수증기로, 응결은 수증기가 물로 상태가 변하는 현상이야.

물은 얼음 또는 수증기로 상태가 변할 수 있고, 끊임없이 순환한다는 것 꼭 기억해!

2주

2주에는 무엇을 공부할까? ❷

무게

> 젖은 빨래의 무게가 너무 무거워.

뜻 물건의 무거운 정도

예 빨랫줄이 빨래의 **무게**를 견디지 못하고 끊어졌어요.

부피

> 요구르트 병이 뚱뚱해졌어.

뜻 물질이 차지하는 공간의 크기

예 냉동실에 넣어 둔 요구르트가 꽁꽁 얼어 **부피**가 커졌어요.

> 증발과 끓음은 모두 물이 수증기로 변하는 현상이야.

증발

蒸 發
찔 증   필 발

뜻 액체인 물이 표면에서 기체인 수증기로 상태가 변하는 현상

예 오랜 가뭄과 뜨거운 날씨로 개천의 물이 모두 **증발**되었어요.

끓음

> 물이 끓으면 수증기로 변해.

뜻 물의 표면과 물속에서 물이 수증기로 상태가 변하는 현상

예
• 주전자의 물이 펄펄 **끓어** 넘쳤어요.
• 뚝배기 속의 된장찌개가 바글바글 **끓어**요.

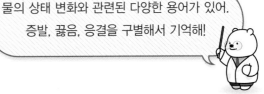

물의 상태 변화와 관련된 다양한 용어가 있어.
증발, 끓음, 응결을 구별해서 기억해!

응 결

凝 結
엉길 **응** 맺을 **결**

난 맑은 날 이른 아침에 맺히는 이슬 방울이야.

뜻 기체인 수증기가 액체인 물로 상태가 변하는 현상

예 이슬은 공기 중의 수증기가 **응결**하여 풀잎 등에 맺히는 것이에요.

상태 변화

狀 態 變 化
형상 **상** 모습 **태** 변할 **변** 될 **화**

얼음 수증기 물

뜻 물질이 어느 한 상태에서 다른 상태로 변화하는 것

예 물은 얼음 또는 수증기로 서로 **상태 변화**할 수 있어요.

물은 상태가 변하면서 끊임없이 이동하고, 이동하면서 상태가 달라지기도 해.

순 환

循 環
돌 **순** 고리 **환**

뜻 자꾸 되풀이하여 돎. 또는 그런 과정

예 이 버스는 우리 지역의 관광지를 계속 도는 **순환** 버스에요.

난 녹아서 너와 같은 물이 될 거야.

난 증발해서 수증기가 되어 날아갈 거야.

난 다시 물로 응결해서 차가운 컵 표면에 붙으려고 해.

얼음 물 수증기

1일 물이 얼거나 얼음이 녹을 때 변화

눈이 녹아 물이 되고, 수증기가 되어 사라진다고요?

용어 체크

물

강, 호수, 바다, 지하수 등의 형태로 널리 있는 액체

예 목이 말라 컵에 [①　　　] 을 따라 마셨다.

수증기

기체 상태의 물

예 물을 가열하면 [②　　　] 가 발생한다.

정답 ① 물 ② 수증기

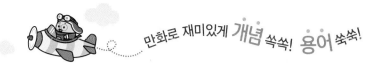
 얼음이 되면 무게가 가벼워질까?

🐼 **용어 체크**

무게

물건의 무거운 정도

📖 비행기에 실을 수 있는 짐의 ［ ❶ ］ 는

정해져 있다.

부피

물질이 차지하는 공간의 크기

📖 고무풍선에 공기를 불어넣었더니 풍선의

［ ❷ ］ 가 커졌다.

정답 ❶ 무게 ❷ 부피

▶ 실험 동영상

1 물과 얼음의 특징을 관찰해 볼까?

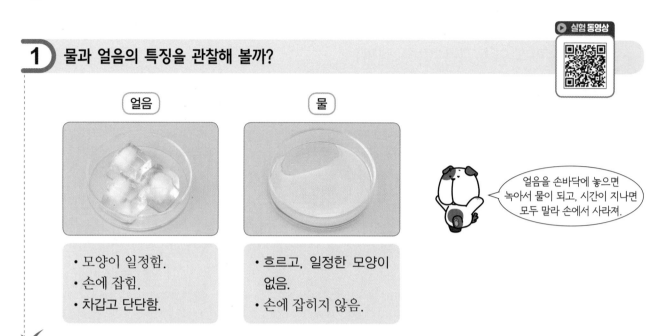

얼음

물

• 모양이 일정함.
• 손에 잡힘.
• 차갑고 단단함.

• 흐르고, 일정한 모양이 없음.
• 손에 잡히지 않음.

얼음을 손바닥에 놓으면 녹아서 물이 되고, 시간이 지나면 모두 말라 손에서 사라져.

☑ 흐르고 일정한 모양이 없는 것은 ❶(얼음 / 물)입니다.

2 물의 세 가지 상태를 알아볼까?

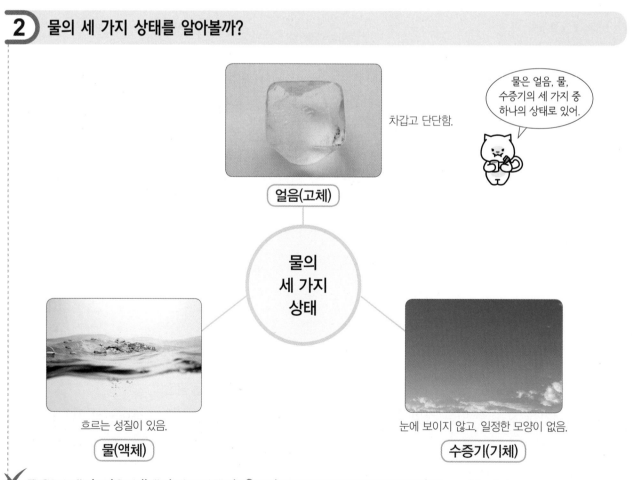

차갑고 단단함.

얼음(고체)

물의
세 가지
상태

물은 얼음, 물, 수증기의 세 가지 중 하나의 상태로 있어.

흐르는 성질이 있음.
물(액체)

눈에 보이지 않고, 일정한 모양이 없음.
수증기(기체)

☑ 물은 고체인 얼음, 액체인 물, 기체인 ❷(김 / 수증기)의 세 가지 상태로 있습니다.

3 물이 얼 때 부피와 무게는 어떻게 될까?

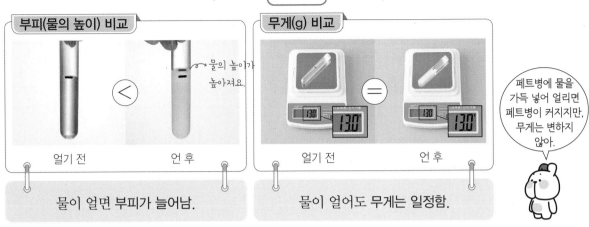

부피(물의 높이) 비교

물의 높이가 높아져요.

$<$

얼기 전   언 후

물이 얼면 부피가 늘어남.

무게(g) 비교

$=$

13.0   13.0

얼기 전   언 후

물이 얼어도 무게는 일정함.

페트병에 물을 가득 넣어 얼리면 페트병이 커지지만, 무게는 변하지 않아.

☑ 물이 얼면 부피는 ③(줄어들고 / 늘어나고), 무게는 ④(변합니다 / 변하지 않습니다).

▶ 실험 동영상

4 얼음이 녹을 때 부피와 무게는 어떻게 될까?

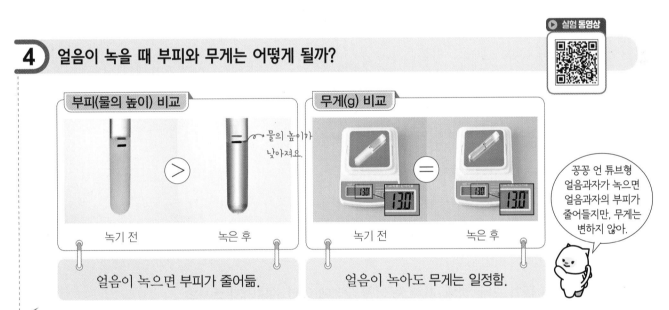

부피(물의 높이) 비교

물의 높이가 낮아져요.

$>$

녹기 전   녹은 후

얼음이 녹으면 부피가 줄어듦.

무게(g) 비교

$=$

13.0   13.0

녹기 전   녹은 후

얼음이 녹아도 무게는 일정함.

꽁꽁 언 튜브형 얼음과자가 녹으면 얼음과자의 부피가 줄어들지만, 무게는 변하지 않아.

☑ 얼음이 녹으면 부피는 ⑤(줄어들고 / 늘어나고), 무게는 ⑥(변합니다 / 변하지 않습니다).

정답 ① 물 ② 수증기 ③ 늘어나고 ④ 변하지 않습니다 ⑤ 줄어들고 ⑥ 변하지 않습니다

개념 체크

정답과 풀이 5쪽

1 물은 고체인 ☐☐, 액체인 물, 기체인 수증기의 세 가지 상태로 있습니다.

2 물이 얼어 얼음이 될 때 ☐☐ 은/는 변하지 않습니다.

3 얼음이 녹아 물이 될 때 ☐☐ 은/는 줄어듭니다.

보기
• 얼음 • 이슬
• 부피 • 무게

1 다음의 얼음과 물의 특징을 줄로 바르게 이으시오.

(1)

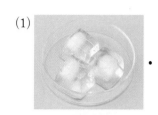

▲ 얼음

・

・㉠ 흐르고 일정한 모양이 없음.

(2)

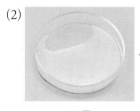

▲ 물

・

・㉡ 차갑고 단단함.

2 다음 중 얼음을 손바닥 위에 올려놓았을 때 변화로 옳은 것에 ○표를 하시오.

(1) 얼음이 점점 커집니다. ( )

(2) 얼음이 녹아서 물이 됩니다. ( )

(3) 얼음의 색깔이 붉은색으로 변합니다. ( )

3 다음은 물의 고체, 액체, 기체 중 어떤 상태에 대한 설명인지 쓰시오.

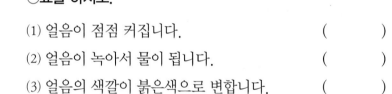

- 눈에 보이지 않습니다.
- 일정한 모양이 없습니다.

( )

4 다음은 물이 얼 때 무게 변화에 대한 설명입니다. ☐ 안에 들어갈 알맞은 말을 쓰시오.

물이 얼 때 무게는 ☐☐☐☐.

( )

5 플라스틱 시험관 안의 얼음이 녹기 전과 녹은 후의 높이 변화를 비교하여 빈칸에 >, =, <를 쓰시오.

| 시험관 안의 얼음이 녹기 전의 높이 | | 시험관 안의 얼음이 녹은 후의 높이 |

6 다음 중 위 **5**번과 같은 결과가 나타나는 까닭으로 옳은 것은 어느 것입니까? (   )

① 얼음이 녹아 물이 되면 부피가 늘어나기 때문이다.
② 얼음이 녹아 물이 되면 부피가 줄어들기 때문이다.
③ 얼음이 녹아 물이 되면 무게가 늘어나기 때문이다.
④ 얼음이 녹아 물이 되면 무게가 줄어들기 때문이다.
⑤ 얼음이 녹아 물이 되면 온도가 높아지기 때문이다.

🐻 똑똑한 **하루 퀴즈**

7 다음 □ 안에 들어갈 알맞은 낱말을 말 상자에서 찾아 모두 ○표를 하세요. 말 상자의 낱말은 가로, 세로, 대각선에 숨어 있어요.

물	⭐	부	얼
⭐	수	음	피
무	액	증	⭐
게	⭐	체	기

❶ 얼음과 물 중 모양이 일정한 것. □□
❷ 물의 기체 상태. □□□
❸ 무게와 부피 중 얼음이 녹을 때 변하지 않는 것. □□

2_일 물의 증발과 끓음

사과 안의 물이 모두 증발했어!

정상이다. 야호!

박사님, 우리가 드디어 산에 올랐어요.

여기가 목적지가 아닌 건 다들 알고 있지요?

자자, 그만 했으면 어두워지기 전에 내려가야 해요.

감정이라고 손톱만큼도 없다니깐.

어? 산이라 그런지, 해가 빨리 지네.

여기서 야영을 하자.

이게 무슨 소리지? 혹시 산사태?!

이건 이모 뱃속에서 나는 소리야.

배가 고프시군요. 제가 사과를 준비했어요.

사과 안의 물이 다 증발돼서 말라 비틀어졌잖아.

에고! 내 사과.

너무 배가 고픈데.

걱정 마세요. 제가 먹을 것을 준비했어요.

🐾 용어 체크

📍 증발

액체인 물이 표면에서 기체인 수증기로 상태가 변하는 현상

예 • 빨랫줄에 널어 놓은 젖은 빨래의 물이 ❶ [   ] 되었다.

• 마당에 뿌린 물이 한낮이 되자 모두 ❷ [   ] 되어 사라졌다.

▲ 젖은 빨래가 마름.

만화로 재미있게 **개념** 쏙쏙! **용어** 쑥쑥!

2주

? 물이 모두 끓어서 사라졌다고?

🐻 용어 체크

📍 **끓음**

물의 표면과 물속에서 물이 수증기로 상태가 변하는 현상

예 • 냄비 속의 물이 펄펄 [①   ].

   • 뚝배기 속의 찌개가 부글부글 [②   ] 넘쳤다.

▲ 끓는 물

정답 ① 예 끓었다 ② 예 끓어

▶ 실험 동영상

1 과일을 말리면 어떤 변화가 나타날까?

🧪 지퍼 백에 넣은 사과 조각과 식품 건조기에 넣은 사과 조각 관찰하기

▲ 지퍼 백에 넣은 사과

▲ 건조시킨 사과

지퍼 백에 넣은 사과와 비교해 모양, 크기, 맛 등을 관찰해.

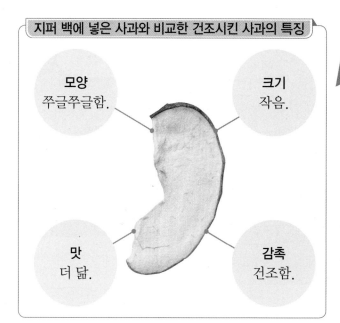

지퍼 백에 넣은 사과와 비교한 건조시킨 사과의 특징

모양
쭈글쭈글함.

크기
작음.

맛
더 닮.

감촉
건조함.

- 물의 증발 : 액체인 물이 표면에서 기체인 수증기로 상태가 변하는 현상
- 증발 현상 : 젖은 머리카락이나 빨래가 마르는 것, 비온 뒤 젖어 있던 길이 마르는 것, 고추를 말리는 것 등

✅ 식품 건조기에 사과 조각을 넣으면 사과 조각의 크기가 ❶(커 / 작아)집니다.

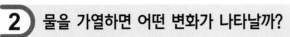

2 물을 가열하면 어떤 변화가 나타날까?

물이 끓기 전까지	물이 끓을 때
물, 쇠그물, 알코올 램프, 삼발이	기포, 물
시간이 지나면서 기포가 조금씩 생김.	큰 기포가 많이 생기고, 물 표면이 울퉁불퉁해짐.

끓은 후 물이 수증기로 변해 공기 중으로 흩어져서 물 높이가 처음보다 낮아져.

물의 끓음 : 물의 표면과 물속에서 물이 수증기로 상태가 변하는 현상

물이 끓을 때에는 큰 ❷(기포 / 얼음)이/가 많이 생깁니다.

3 증발과 끓음의 공통점과 차이점은 무엇일까?

증발과 끓음은 모두 액체인 물이 기체인 수증기로 변하는 현상이야.

증발 물 표면에서만 상태가 변함.

끓음 물 표면과 물속에서 상태가 변함.

❸(증발 / 끓음)은 물 표면에서 상태가 변하는 현상이고, ❹(증발 / 끓음)은 물 표면과 물속에서 상태가 변하는 현상입니다.

정답 ❶ 작아 ❷ 기포 ❸ 증발 ❹ 끓음

개념 체크

◇ 정답과 풀이 5쪽

1 물 ☐☐ 에서 물이 수증기로 상태가 변하는 현상은 증발입니다.

2 물 표면과 ☐☐ 에서 물이 수증기로 상태가 변하는 현상은 끓음입니다.

3 증발과 끓음은 공통적으로 물이 ☐☐☐ (으)로 상태가 변합니다.

보기
• 표면   • 물속
• 고드름   • 수증기

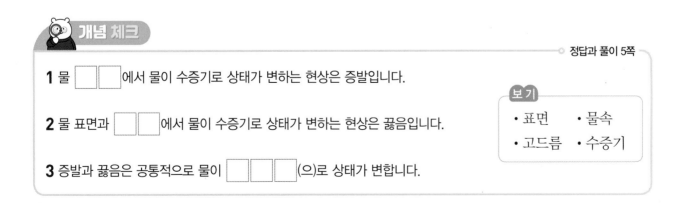

1 다음을 지퍼 백에 넣은 사과 조각과 식품 건조기에 넣은 사과 조각의 특징에 맞게 줄로 바르게 이으시오.

(1)
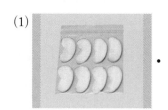
▲ 지퍼 백에 넣은 사과 조각

· ㉠ 사과 조각의 크기가 더 큼.

(2)
▲ 식품 건조기에 넣은 사과 조각

· ㉡ 표면이 쭈글쭈글함.

2 다음은 증발에 대한 설명입니다. ㉠, ㉡에 들어갈 알맞은 말을 각각 쓰시오.

증발은 액체인 물이 　㉠　 에서 기체인 　㉡　 (으)로 상태가 변하는 현상입니다.

㉠ (　　　　　　　　　) ㉡ (　　　　　　　　　)

3 다음 중 오른쪽과 같이 물이 끓을 때의 변화에 대한 설명으로 옳은 것에 ○표를 하시오.

(1) 물의 양이 늘어납니다. 　　　　　(　　)

(2) 물의 높이가 낮아집니다. 　　　　(　　)

(3) 매우 작은 기포가 조금씩 생깁니다. (　　)

▲ 물의 끓음

4 오른쪽과 같이 물이 끓고 있을 때 물속에서 생기는 기포는 어떤 상태의 물인지 보기에서 골라 기호를 쓰시오.

▲ 물의 끓음

보기
ㄱ 고체   ㄴ 액체   ㄷ 기체

(   )

5 다음은 증발과 끓음에 대해 여러 친구들이 설명한 내용입니다. <u>틀리게</u> 설명한 친구의 이름을 쓰시오.

지호 : 젖은 머리카락이 마르는 것은 끓음 현상이야.
나린 : 물이 끓을 때 물 표면과 물속에서 물이 수증기로 변해.
현태 : 증발과 끓음은 모두 물이 수증기로 상태가 변하는 현상이야.

(   )

6 다음 □ 안에 들어갈 알맞은 낱말을 말 상자에서 찾아 모두 ○표를 하세요. 말 상자의 낱말은 가로, 세로, 대각선에 숨어 있어요.

속	★	증	고
★	액	기	발
끓	체	포	★
음	★	표	면

❶ 물 표면에서 물이 수증기로 상태가 변하는 것. □□
❷ 물 표면과 물속에서 물이 수증기로 상태가 변하는 것. □□
❸ 물이 끓을 때에는 큰 □□가 연속하여 많이 생김.

3일 응결 / 물의 상태 변화 이용

수증기가 응결되어 물방울이 생겼어!

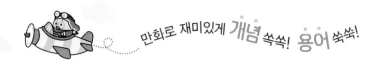

 물은 세 가지 상태로 변할 수 있어!

2
주

용어 체크

상태 변화

물질이 어느 한 상태에서 다른 상태로 변화하는 것

예 물이 기체로 ❶ [   ] 하면 수증기가 된다.

가습기

수증기를 내어 실내의 습도를 조절하는 전기 기구

예 실내가 건조해지지 않도록 ❷ [   ] 를 틀어 놓았다.

정답 ❶ 상태 변화 ❷ 가습기

3일 개념 익히기

 실험 동영상

1 차가운 컵 표면에서는 어떤 변화가 나타날까?

 플라스틱 컵에 주스와 얼음을 넣고 뚜껑을 덮은 뒤 변화를 관찰하고 무게를 측정해.

변화 관찰

물방울

은박 접시에 물이 고임.

플라스틱 컵 표면에 물방울이 생김.

무게 측정

시간이 지난 뒤

처음보다 시간이 지난 뒤의 무게가 무거워짐.

응결 : 기체인 수증기가 액체인 물로 상태가 변하는 것

 공기 중의 수증기가 물로 변해 컵 표면에 달라붙어 무게가 처음보다 늘어나.

☑ 주스와 얼음을 넣은 플라스틱 컵 표면에는 시간이 지남에 따라 **①**(고드름 / **물방울**)이 맺힙니다.

2 물의 응결과 관련된 현상에는 어떤 것이 있을까?

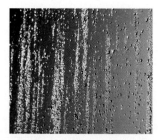

▲ 추운 날 유리창 안쪽에 맺힌 물방울

▲ 맑은 날 아침 거미줄에 맺힌 물방울

▲ 물이 끓고 있는 냄비 뚜껑 안쪽에 맺힌 물방울

☑ 추운 날 유리창 안쪽에 맺힌 물방울은 **②**(증발 / **응결**) 현상의 예입니다.

3 우리 생활에서 물의 상태 변화를 이용한 예를 알아볼까?

물 → 얼음

물은 서로 다른 상태로 변할 수 있어.

▲ 얼음 작품 만들기   ▲ 얼음과자 만들기   ▲ 인공 눈 만들기   ▲ 이글루 만들기

물 → 수증기

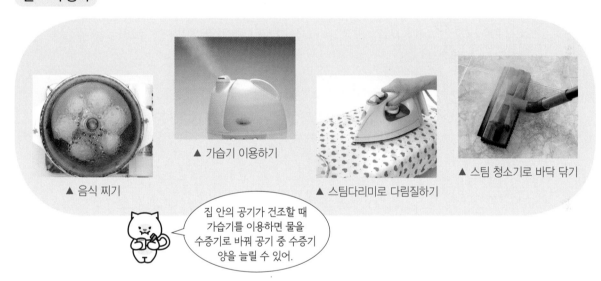

▲ 음식 찌기   ▲ 가습기 이용하기   ▲ 스팀다리미로 다림질하기   ▲ 스팀 청소기로 바닥 닦기

집 안의 공기가 건조할 때 가습기를 이용하면 물을 수증기로 바꿔 공기 중 수증기 양을 늘릴 수 있어.

가습기는 물이 ③(수증기 / 고드름)(으)로 변하는 상태 변화를 이용한 것입니다.

정답 ❶ 물방울 ❷ 응결 ❸ 수증기

개념 체크

정답과 풀이 6쪽

1 주스와 얼음을 넣은 플라스틱 컵의 무게를 재면 시간이 지난 뒤의 무게가 더 ☐☐습니다.

2 기체인 수증기가 액체인 물로 변하는 현상은 ☐☐입니다.

3 물은 서로 다른 상태로 변할 수 (있 / 없)습니다.

보기
• 가볍   • 무겁
• 증발   • 응결

1 다음 중 오른쪽과 같이 플라스틱 컵에 주스와 얼음을 넣고 시간이 지남에 따라 나타나는 현상으로 옳은 것은 어느 것입니까?

(   )

① 플라스틱 컵 안의 주스가 언다.
② 플라스틱 컵 안의 주스가 끓는다.
③ 플라스틱 컵 표면에 물방울이 생긴다.
④ 플라스틱 컵 표면에 얼음 알갱이가 생긴다.
⑤ 플라스틱 컵 안의 주스가 밖으로 흘러나온다.

← 주스 +
얼음

2 주스와 얼음을 넣은 플라스틱 컵의 뚜껑을 덮고 은박접시에 올려놓은 직후 무게를 재었더니 300 g이었습니다. 시간이 지난 후 플라스틱 컵의 무게를 잰 결과로 옳은 것을 <u>보기</u>에서 골라 기호를 쓰시오.

> 보기
>
> ㉠ 300 g보다 가볍습니다.   ㉡ 300 g입니다.   ㉢ 300 g보다 무겁습니다.

(   )

3 다음은 위 **2**번과 같은 결과가 나타나는 까닭입니다. ㉠, ㉡에 들어갈 알맞은 말을 각각 쓰시오.

> 공기 중의 [㉠] 이/가 액체인 [㉡] (으)로 변해서 컵 표면에 달라붙었기 때문입니다.

㉠ (   ) ㉡ (   )

4 다음 중 응결 현상이 일어날 때 물의 상태 변화로 옳은 것에 ○표를 하시오.

(1) 고체 → 액체   (   )
(2) 액체 → 기체   (   )
(3) 기체 → 액체   (   )

5 다음 중 우리 생활에서 물의 응결과 관련된 예로 옳지 <u>않은</u> 것의 기호를 쓰시오.

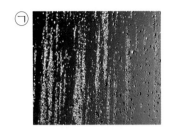

▲ 추운 날 유리창 안쪽에
맺힌 물방울

▲ 고추 말리기

▲ 맑은 날 아침 거미줄에
맺힌 물방울

(   )

집중 연습 문제 **물의 상태 변화를 이용한 예**

6 다음 중 오른쪽과 같은 상태 변화를 이용한
예를 두 가지 고르시오. (,   )

① 음식 찌기
② 가습기 이용하기
③ 얼음과자 만들기
④ 얼음 작품 만들기
⑤ 스팀 청소기로 바닥 닦기

▲ 인공 눈 만들기

①~⑤에서
이용한 물의 상태
변화는?

① 물 ➡ ⬭
② 물 ➡ ⬭
③ 물 ➡ ⬭
④ 물 ➡ ⬭
⑤ 물 ➡ ⬭

7 오른쪽과 같이 스팀다리미로 다림질하는
것은 물의 어떤 상태 변화를 이용한
것인지 (   ) 안의 알맞은 말을 골라
각각 ○표를 하시오.

▲ 스팀다리미

(물 / 얼음 / 수증기)이/가 (물 / 얼음 / 수증기)(으)로
상태가 변하는 것을 이용한 것입니다.

'스팀'은 수증기를
의미해.

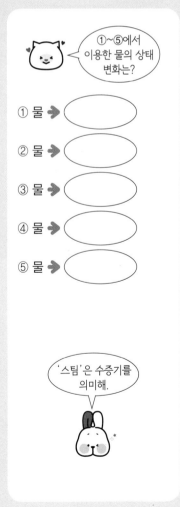

2
주

4일 물의 여행

물이 이곳저곳을 끊임없이 순환한다고?

용어 체크

순환

자꾸 되풀이하여 돎. 또는 그런 과정

[예] • 혈액은 우리 몸속 곳곳을 **①**[ ] 한다.

• 이 방은 공기가 잘 **②**[ ] 되지 않아 답답하다.

循	環
돌	고리
순	환

정답 ① 순환 ② 순환

 ## 인구가 적어도 관광이 활발한 곳이야!

2주

조금 전까지도 얼음이 얼 것처럼 추웠는데, 이제 비가 오네요. 여기 🔘 **기후**는 오락가락 하나 봐요.

배가 고파서 더는 못 가겠어.

더 이상 걸을 힘도 없어.

박사님, 저도 이제 못 걷겠어요.

으이그 정말!

저기 마을에 가면 식당이 있을 거예요.

마을?

구름이 걷히니까 마을이 보여요.

🔘 **인구**가 적을 것 같은데, 제대로 된 식당이 있을까?

바닷가에 놀러 오는 사람들이 많아서 먹을 곳은 많을 것 같아요.

맞아, 전에도 많았어.

느림보 수지야 빨리 와.

빠르다...

늦으면 먹을 거 없다.

🐻 용어 체크

🔘 **기후**

일정한 지역에서 장기간의 강수량, 기온, 바람 등을 평균한 것

예 이곳 ❶ [   ]는 농사를 짓기에 알맞다.

🔘 **인구**

일정 지역에 사는 사람의 수

예 도시는 농촌보다 ❷ [   ]가 많다.

1 물은 어떻게 여행할까?

▶ 실험 동영상

물의 상태가 변하면서 끊임없이 돌고 도는 과정

🧪 물의 순환 과정 알아보기

실험 방법

지퍼를 닫아요.
셀로판 테이프
지퍼 백
얼음

▲ 물의 순환 실험 장치

햇볕이 잘 드는 창문에 고정하고 3일 동안 변화를 관찰해.

처음과 3일 후의 무게를 비교해.

실험 결과

1일째

얼음이 녹아서 플라스틱 컵에 물만 남고 지퍼 백 안쪽에 물방울이 맺힘.

물은 끊임없이 순환하지만 전체 물의 양은 변하지 않아.

2일째

지퍼 백 안쪽에 맺힌 물방울이 흘러내려 아래쪽에 모임.

3일째

컵 밖의 물의 양은 늘어남.

물의 순환 실험 장치의 처음 무게와 3일이 지난 후의 무게는 같아.

컵 안의 물의 양은 줄고, 지퍼 백 안쪽에는 물방울이 계속 맺혀 있음.

✔️ 물의 순환 실험 장치 안에서 물은 ❶(상태 / 색깔)이/가 계속 변하지만 전체 물의 양은 변하지 않습니다.

2 물은 어떻게 이용될까?

물이 떨어지는 높이 차이를 이용해.

▲ 생명을 유지할 때

▲ 전기를 만들 때

▲ 농작물을 키울 때

✓ 생명을 유지할 때, 전기를 만들 때, 농작물을 키울 때 등의 경우에 ❷(물 / 쌀)을 이용합니다.

3 물 부족 현상을 어떻게 해결할까?

원인

▲ 인구 증가 : 물 이용량 증가

▲ 산업 발달 : 물의 오염

▲ 자연환경 : 비가 적게 오고 빨리 증발됨.

사람들이 물을 아껴 쓰지 않아.

해결 방법

▲ 양치할 때 컵을 사용

▲ 빗물을 이용

▲ 샴푸나 세제를 많이 사용하지 않기

물을 계속 틀어놓지 않도록 절수 발판을 설치해.

✓ 설거지할 때나 목욕할 때 물을 계속 틀어놓지 않도록 ❸(절수 / 낭비) 발판을 설치합니다.

정답 ❶ 상태 ❷ 물 ❸ 절수

 개념 체크

정답과 풀이 6쪽

1 물은 끊임없이 □□하지만, 전체 물의 양은 변하지 않습니다.

2 물이 떨어지는 □□ 차이를 이용해 전기를 만듭니다.

3 □□을 모아 화단을 가꾸거나 청소할 때 이용합니다.

보기
· 순환   · 정지
· 넓이   · 높이
· 빗물   · 얼음

물의 상태가 변하면서 육지, 바다, 공기 중, 생명체 등을 끊임없이 돌고 돌아.

🌐 **물의 순환**

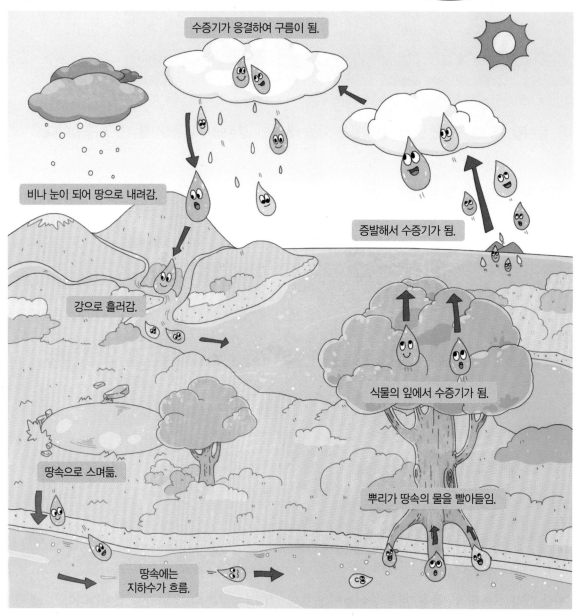

수증기가 응결하여 구름이 됨.

비나 눈이 되어 땅으로 내려감.

증발해서 수증기가 됨.

강으로 흘러감.

식물의 잎에서 수증기가 됨.

땅속으로 스며듦.

뿌리가 땅속의 물을 빨아들임.

땅속에는 지하수가 흐름.

개념 체크

정답과 풀이 6쪽

1 물의 상태가 변하면서 끊임없이 돌고 도는 과정을 물의 ☐☐(이)라고 합니다.

2 공기 중의 ☐☐☐이/가 하늘 높이 올라가 구름이 됩니다.

3 땅에 내린 물은 다양하게 이용되다가 다시 ☐☐(으)로 흘러갑니다.

보기
- 순환
- 증발
- 고드름
- 수증기
- 바다
- 육지

🌐 물의 다양한 이용

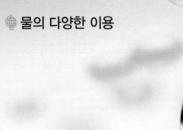
▲ 세수하거나 밥을 먹을 때 이용함.

▲ 물이 떨어지는 높이 차이를
이용해 전기를 만듦.

▲ 수영할 때 이용함.

▲ 생선이 상하지 않도록
얼음을 이용함.

▲ 물건과 주변을 깨끗하게
만들 때 이용함.

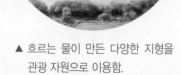
▲ 흐르는 물이 만든 다양한 지형을
관광 자원으로 이용함.

🐻 개념 체크

정답과 풀이 6쪽

1 생선이 상하지 않도록 ☐☐을/를 이용합니다.

2 물이 떨어지는 높이 차이를 이용해 ☐☐을/를 만듭니다.

3 흐르는 물이 만든 다양한 지형을 ☐☐ 자원으로 이용합니다.

보기
• 용암   • 얼음
• 전기   • 수도
• 환경   • 관광

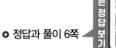

○ 정답과 풀이 6쪽

[1~2] 오른쪽과 같이 조각 얼음 다섯 개를 투명한 플라스틱 컵에 넣고 지퍼 백에 담아 지퍼를 닫은 뒤, 햇볕이 잘 드는 창문에 고정하여 3일 동안 두었습니다. 물음에 답하시오.

▲ 물의 순환 실험 장치

1 위 실험 장치에서 나타나는 변화로 옳은 것을 보기 에서 골라 기호를 쓰시오.

> 보기
> ㉠ 컵 안에 얼음이 그대로 있습니다.
> ㉡ 컵 안의 얼음이 녹아 물의 양이 늘어납니다.
> ㉢ 컵 안의 물의 양이 줄고 지퍼 백 안쪽에 물방울이 맺혀 있습니다.

(   )

2 위의 실험에서 실험 장치의 처음 무게와 3일이 지난 뒤의 무게를 비교하여 빈칸에 >, =, <를 쓰시오.

창문에 두기 전의
처음 무게

3일이 지난
뒤의 무게

3 다음 중 물을 이용하는 경우가 아닌 것은 어느 것입니까? (   )

① 목이 마를 때   ② 글씨를 쓸 때
③ 얼음을 이용할 때   ④ 농작물을 키울 때
⑤ 주변을 깨끗이 청소할 때

4 다음은 댐에서 물을 이용하여 전기를 만드는 방법입니다. ㉠, ㉡에 들어갈 알맞은 말을 각각 쓰시오.

물이 ㉠ 지는 ㉡ 차이를 이용하여 전기를 만듭니다.

㉠ (   ) ㉡ (   )

5 다음 중 물 부족 현상이 나타나는 원인으로 옳은 것에 ○표를 하시오.

(1) 인구가 감소하고 있기 때문입니다. ( )

(2) 사람들이 물을 아껴 쓰기 때문입니다. ( )

(3) 산업 발달로 물의 이용량이 많아지기 때문입니다. ( )

6 다음 중 우리 생활에서 물을 절약하는 방법으로 옳은 것의 기호를 쓰시오.

㉠

▲ 샴푸를 많이 사용하기

㉡

▲ 양치할 때 컵을 사용하기

( )

7 다음 □ 안에 들어갈 알맞은 낱말을 말 상자에서 찾아 모두 ○표를 하세요. 말 상자의 낱말은 가로, 세로, 대각선에 숨어 있어요.

표	★	절	수
★	고	력	발
전	순	상	★
기	★	환	태

❶ 물의 상태가 변하면서 끊임없이 돌도 도는 현상을 물의 □□이라고 함.

❷ 물이 떨어지는 높이 차이를 이용해 □□를 만듦.

❸ 설거지할 때나 목욕할 때 물을 계속 틀어 놓지 않도록 □□ 발판을 설치함.

1 물이 얼거나 얼음이 녹을 때 변화

물이 얼거나 얼음이 녹을 때 부피는 변해도 무게는 일정해.

부피 변화	무게 변화
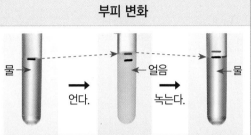	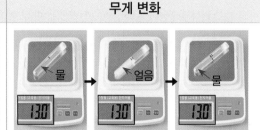
물이 얼면 부피가 늘어나고, 얼음이 녹으면 부피가 줄어듦.	물이 얼거나 얼음이 녹을 때 무게는 변하지 않음.

2 물의 증발과 끓음

구분	증발	끓음
공통점	물이 수증기로 상태가 변함.	
차이점	물 표면에서 물이 수증기로 상태가 변함.	물 표면과 물속에서 물이 수증기로 상태가 변함.
예	• 젖은 머리카락이나 빨래가 마름. • 비온 뒤 젖어 있던 땅이 마름.	• 찌개를 끓이는 것 • 찻물을 끓이는 것

3 응결 / 물의 상태 변화 이용

이슬이나 안개가 생기는 것도 응결 때문이야.

① **응결** : 기체인 수증기가 액체인 물로 상태가 변하는 것

② **응결의 예**

- 추운 날 유리창 안쪽에 물방울이 맺히는 것
- 맑은 날 아침 거미줄에 물방울이 맺히는 것
- 가열한 냄비 뚜껑 안쪽에 물방울이 맺히는 것

▲ 추운 날 유리창 안쪽에 맺힌 물방울

③ **물의 상태가 변하는 예**

물 → 얼음	물 → 수증기
• 이글루 만들기 • 인공 눈 만들기 • 얼음과자 만들기	• 음식 찌기 • 가습기 이용하기 • 스팀다리미로 다림질하기

4 물의 여행

① 물의 순환

- 물의 상태가 변하면서 육지, 바다, 공기 중, 생명체 등 여러 곳을 끊임없이 돌고도는 과정을 물의 순환 이라고 합니다.
- 물은 순환하지만 지구에 있는 전체 물의 양은 변하지 않습니다.

② 물의 이용

- 생명 유지
- 설거지 및 청소
- 농작물 재배
- 전기 생산
- 생선 보관
- 지표면의 모양 변화

③ 물 부족 현상

이용할 수 있는 물의 양이 줄어들고 있으므로 물을 아껴 써야 해.

원인	해결 방법
• 비가 적게 내리고, 너무 더워서 물이 빨리 증발함. • 인구가 증가하고 공장이 많아지면서 물 이용량이 늘고, 폐수도 늘어남. • 물을 아껴쓰지 않음.	• 양치할 때 컵을 사용함. • 기름기가 있는 그릇은 기름을 휴지로 닦고 설거지함. • 빗물을 모아 화단을 가꾸거나 청소할 때 이용함.

하루 칼럼

얼음이 뿌옇게 보이는 까닭은 무엇일까?

얼음은 물의 고체 상태로 물과 같이 색깔이 없고 투명하지만, 얼음의 가운데는 뿌옇게 보이기도 해요. 그것은 물속의 공기 때문이에요. 물이 얼면서 물속에 녹아 있던 공기가 빠져나가지 못하고 조그만 공간을 이루게 되는데, 이러한 공간에 빛이 통과 하면서 얼음이 뿌옇게 보이게 돼요. 뿌옇지 않은 깨끗한 얼음을 만들려면 얼리기 전에 물을 끓여서 물속의 공기들을 없애 주거나, 공기들이 빠져나갈 수 있도록 충분한 시간을 주면서 천천히 물을 얼리면 된다고 해요.

▲ 얼음

1일 물이 얼거나 얼음이 녹을 때 변화

1 다음 중 플라스틱 시험관에 물을 넣어 얼릴 때 물의 높이가 아래와 같이 차이가 나는 까닭으로 옳은 것은 어느 것입니까? (　　　)

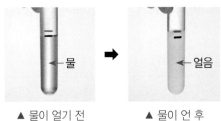

▲ 물이 얼기 전　　　　▲ 물이 언 후

① 물의 모양이 변하기 때문이다.　　　② 물의 부피가 늘어나기 때문이다.

③ 물의 부피가 줄어들기 때문이다.　　④ 물의 온도가 높아지기 때문이다.

⑤ 물의 무게가 무거워지기 때문이다.

2 다음은 위 **1**번 시험관의 무게를 전자저울로 측정했을 때의 결과입니다. ㉠은 얼마인지 쓰시오.

물이 얼기 전 무게 25.0 g	→	물이 언 후 무게 ㉠ g

(　　　　　　　　　)

3 냉동실에서 얼음과자를 꺼내 놓은 지 한 시간 정도 지난 후에 다음과 같이 용기 안에 빈 공간이 생겼습니다. 그 까닭을 바르게 설명한 친구의 이름을 쓰시오.

▲ 녹기 전　　　　▲ 녹은 후

> 예림 : 얼음과자의 무게가 줄어들기 때문이야.
>
> 영일 : 얼음과자가 녹으면서 부피가 줄어들기 때문이야.
>
> 소예 : 용기가 새서 얼음과자가 밖으로 빠져나갔기 때문이야.

(　　　　　　　　　)

○ 정답과 풀이 7쪽

2일 물의 끓음과 증발

4 다음 중 증발이 일어날 때 물의 상태 변화를 바르게 나타낸 것에 ○표를 하시오.

(1) 얼음 → 물 (   )   (2) 수증기 → 물 (   )

(3) 물 → 수증기 (   )   (4) 수증기 → 얼음 (   )

5 다음은 오른쪽과 같이 물이 끓은 후 물의 높이가 낮아진 까닭입니다.
㉠, ㉡에 들어갈 알맞은 말을 각각 쓰시오.

물의 처음 높이

물

> 물이 끓을 때 물 표면과   ㉠   에서 물이   ㉡   (으)로 변해 공기 중으로 흩어졌기 때문입니다.

㉠ (   ) ㉡ (   )

6 다음 보기 에서 증발과 관련된 예가 <u>아닌</u> 것을 골라 기호를 쓰시오.

> 보기
> ㉠ 햇빛에 널어놓은 젖은 빨래가 마릅니다.
> ㉡ 가스레인지 위에서 김치찌개가 끓습니다.
> ㉢ 마당에 뿌린 물이 한낮이 되자 모두 말랐습니다.

(   )

3일 응결 / 물의 상태 변화 이용

7 다음 중 오른쪽과 같이 주스와 얼음을 넣은 플라스틱 컵 표면에 시간이 지남에 따라 생기는 것은 무엇입니까? (   )

주스+ 얼음

① 얼음   ② 기름   ③ 기포

④ 수증기   ⑤ 물방울

서술형

8 다음과 같은 현상이 일어날 때 공통적으로 물의 어떠한 상태 변화가 일어나는지 쓰시오.

▲ 맑은 날 아침 거미줄에 이슬이 맺힘.

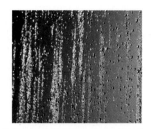

▲ 추운 날 유리창 안쪽에 물방울이 맺힘.

9 다음 중 물이 수증기로 상태가 변하는 것을 이용한 예가 <u>아닌</u> 것은 어느 것입니까?

( )

①

▲ 가습기 이용하기

②

▲ 스팀다리미로 다림질하기

③

▲ 이글루 만들기

④

▲ 음식 찌기

4일 물의 여행

10 다음은 물의 순환에 대한 설명입니다. ( ) 안에 알맞은 말에 ○표를 하시오.

물의 순환은 물의 (무게 / 상태)가 변하면서 육지, 바다, 공기 중, 생명체 등 여러 곳을 끊임없이 돌고 도는 과정입니다. 물은 순환하지만 지구 전체 물의 양은 (변합니다 / 변하지 않습니다).

11 다음의 물을 이용하는 예와 물의 역할을 옳은 것끼리 줄로 바르게 이으시오.

(1) 마시는 물 ·

(2) 흐르는 물이 만든 다양한 지형 ·

· ㉠ 생명 유지

· ㉡ 관광 자원으로 이용

12 다음은 세계 곳곳에서 물 부족 현상이 일어나는 까닭에 대해 친구들이 이야기한 내용입니다. **틀리게** 말한 친구의 이름을 쓰시오.

> 연희 : 인구가 늘어나고 있어서 물이 부족해.
> 수현 : 사람들이 물을 너무 아껴 쓰기 때문에 물이 부족해.
> 상우 : 환경오염이 심해져서 이용할 수 있는 깨끗한 물이 부족해.

(   )

똑똑한 하루 퀴즈

13 다음 십자말풀이를 해 보세요.

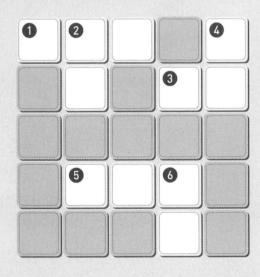

→가로
❶ 물의 기체 상태
❸ 물의 표면과 물속에서 물이 수증기로 상태가 변하는 현상
❺ 수증기를 내어 실내의 습도를 조절하는 기구

↓세로
❷ 액체인 물이 표면에서 기체인 수증기로 상태가 변하는 현상
❹ 물의 고체 상태
❻ 일정한 지역이서 장기간의 강수량, 기온, 바람 등을 평균한 것

1 다음은 플라스틱 시험관에 얼음이 녹은 후 물의 높이를 표시한 것입니다. 이 결과를 보고 알 수 있는 점으로 옳은 것을 보기에서 골라 기호를 쓰시오.

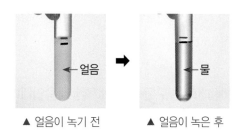

▲ 얼음이 녹기 전　　▲ 얼음이 녹은 후

보기

㉠ 얼음이 녹아 물이 되면 단단해집니다.
㉡ 얼음이 녹아 물이 되면 부피가 줄어 듭니다.
㉢ 얼음이 녹아 물이 되면 눈에 보이지 않습니다.

(　　　　　　　)

2 다음의 물을 가득 채운 페트병의 물이 얼기 전과 물이 언 후의 무게를 비교하여 빈칸에 >, =, <를 쓰시오.

▲ 물이 얼기 전　　▲ 물이 언 후

| 물이 얼기 전의 무게 | ● | 물이 언 후의 무게 |

3 다음과 같이 사과를 식품 건조기에 넣으면 사과 조각이 마르고 크기가 작아집니다. 이때 나타나는 물의 상태 변화를 쓰시오.

▲ 건조시킨 사과

(　　　　　　) → (　　　　　　)

4 다음과 같이 비커 안의 물을 가열하여 끓였더니 물이 끓고 난 후 물의 높이가 낮아졌습니다. 그 까닭으로 옳은 것은 어느 것입니까?

(　　　　)

▲ 물이 끓기 전　　▲ 물이 끓고 난 후

① 물이 다른 물질로 변했기 때문이다.
② 물이 다른 물질과 섞였기 때문이다.
③ 물의 온도가 낮아져 부피가 작아졌기 때문이다.
④ 물의 온도가 높아져 무게가 무거워졌기 때문이다.
⑤ 물이 수증기로 변해 공기 중으로 흩어졌기 때문이다.

5 다음과 같이 주스와 얼음을 넣은 플라스틱 컵을 은박 접시에 올려놓고 뚜껑을 덮은 다음, 무게를 측정하였습니다. 무게가 더 무거운 쪽의 기호를 쓰시오.

주스
+
얼음

▲ 실험 장치를 한 후 바로 무게 측정하기

▲ 시간이 지난 후 무게 측정하기

(   )

6 다음 중 오른쪽과 같이 맑은 날 아침 거미줄에 물방울이 맺히는 현상과 관계가 있는 것은 어느 것입니까? (   )

① 증발   ② 끓음   ③ 응결
④ 녹음   ⑤ 굳음

7 우리 생활에서 물이 수증기로 상태가 변화된 것을 이용하는 예를 보기 에서 두 가지 골라 기호를 쓰시오.

보기
㉠ 음식을 찔 때
㉡ 이글루를 만들 때
㉢ 얼음과자를 만들 때
㉣ 스팀다리미로 다림질할 때

(,   )

8 다음 중 물의 순환에 대한 설명으로 옳은 것에 ○표를 하시오.

(1) 물은 이동하면서 상태가 변하지 않습니다.
(   )

(2) 물은 땅 위, 공기 중, 바다 등 지구 곳곳에서 볼 수 있습니다.   (   )

(3) 물은 끊임없이 순환하지만 지구 전체 물의 양은 변합니다.   (   )

9 다음 중 우리 생활에서 물을 이용하는 경우가 아닌 것은 어느 것입니까? (   )

① 버스를 탈 때
② 농작물을 키울 때
③ 생명을 유지할 때
④ 주변을 깨끗이 할 때
⑤ 생선이 상하지 않도록 얼음을 이용할 때

10 다음 중 물을 절약하는 방법으로 옳은 것의 기호를 쓰시오.

▲ 물을 틀어 놓고 세수하기   ▲ 빨래는 모아서 하기

(   )

2주 특강

생활 속 과학

우리 주변의 물은 몇 가지 모습으로 존재하는지 알아봅니다.

 생활 속에서 물의 상태에 따라 이용되는 모습

🧪 얼음

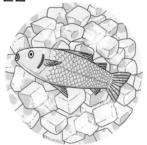

▲ 음식의 재료를 상하지 않게 보관할 때

▲ 빙수를 먹을 때

▲ 스케이트를 탈 때

🧪 물

▲ 물을 마실 때

▲ 손을 씻을 때

▲ 수영이나 물놀이를 할 때

🧪 수증기

▲ 가습기로 습도를 조절할 때

▲ 음식을 찔 때

▲ 다리미질을 할 때

1 물은 세 가지 상태로 모습을 바꾸며 우리 주변 곳곳에 있어요. 얼음, 물, 수증기의 성질에 맞게 선을 연결하여 보세요.

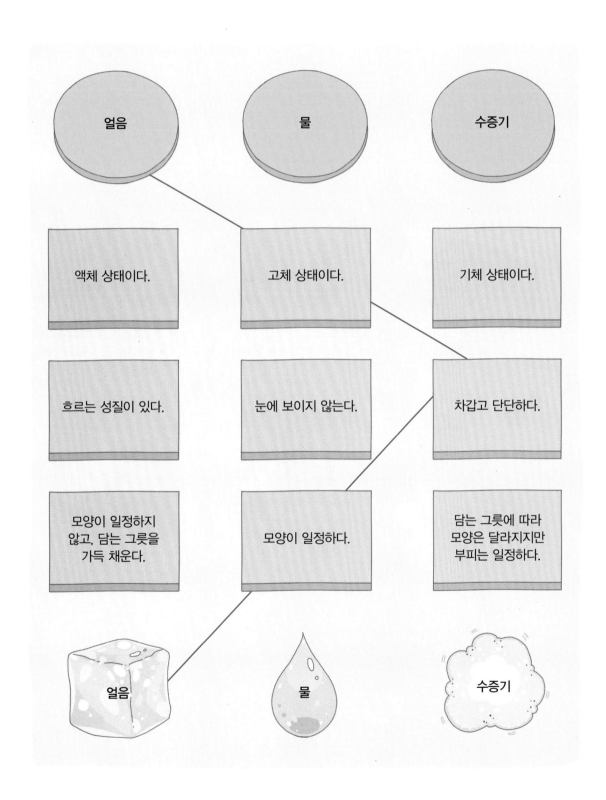

| 얼음 | 물 | 수증기 |

| 액체 상태이다. | 고체 상태이다. | 기체 상태이다. |

| 흐르는 성질이 있다. | 눈에 보이지 않는다. | 차갑고 단단하다. |

| 모양이 일정하지 않고, 담는 그릇을 가득 채운다. | 모양이 일정하다. | 담는 그릇에 따라 모양은 달라지지만 부피는 일정하다. |

| 얼음 | 물 | 수증기 |

2 다음은 우리 주변에서 볼 수 있는 여러 가지 물의 상태 변화 현상이 그려진 카드예요. 상태 변화의 종류에 따라 카드를 분류하여 정리하려고 해요. 다음 방법에 따라 카드를 정리해서 맞는 색깔의 칸에 담아보세요.

[정리 방법]
- (물 → 얼음)의 상태 변화 ➡ 빨간색 칸
- (얼음 → 물)의 상태 변화 ➡ 파란색 칸
- (물 → 수증기)의 상태 변화 ➡ 노란색 칸
- (수증기 → 물)의 상태 변화 ➡ 초록색 칸

▲ 건조시킨 사과

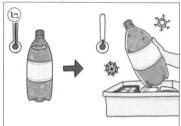

▲ 냉동실에 넣어 둔 물이 담긴 페트병

▲ 맑은 날 이른 아침 거미줄에 맺힌 물방울

▲ 녹아 흐르는 아이스크림

▲ 차가운 음료수가 담긴 컵 표면의 물방울

▲ 젖은 빨래가 마름.

각 칸에 알맞은 카드의 기호를 써 넣어보세요.

물을 아껴 쓰는 방법을 생각해 봅니다.

3 다음은 생활 속에서 물이 부족한 문제를 해결하는 방법이에요. 옳은 답을 찾아 선으로 길을 연결하여 보세요.

논리 탄탄

2주 특강

물의 증발과 끓음을 분류합니다.

증발과 끓음은 모두 액체인 물이 기체인 수증기로 변하는 거지?

응, 그렇지만 차이점이 있어.

아래의 여러 가지 예를 보고 무엇이 다른지 찾아 봐.

좋아!

4 다음 생활 속 현상을 기준에 따라 분류하여 ❶과 ❷에 알맞은 기호를 쓰고, ❶와 ❷를 각각 증발과 끓음에 맞게 줄로 연결하세요.

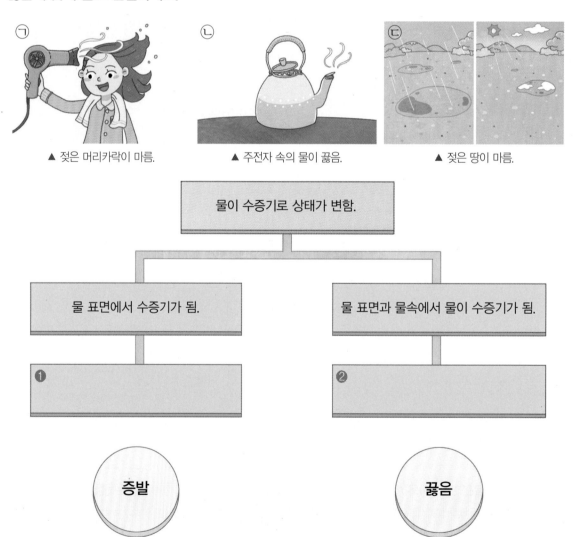

ㄱ
▲ 젖은 머리카락이 마름.

ㄴ
▲ 주전자 속의 물이 끓음.

ㄷ
▲ 젖은 땅이 마름.

물이 수증기로 상태가 변함.

물 표면에서 수증기가 됨.

물 표면과 물속에서 물이 수증기가 됨.

❶

❷

증발

끓음

물이 어떻게 순환하는지 알아봅니다.

5 다음은 물의 순환을 표현한 것이에요. ❶~❹에 들어갈 말과 관계된 그림을 출발에서 시작하여 순서에 맞게 명령어를 그리고, 글을 완성해 보세요. (단, 코딩 명령어는 5개만 사용하세요.)

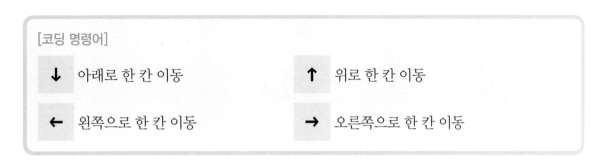

[코딩 명령어]

↓ 아래로 한 칸 이동   ↑ 위로 한 칸 이동

← 왼쪽으로 한 칸 이동   → 오른쪽으로 한 칸 이동

2주

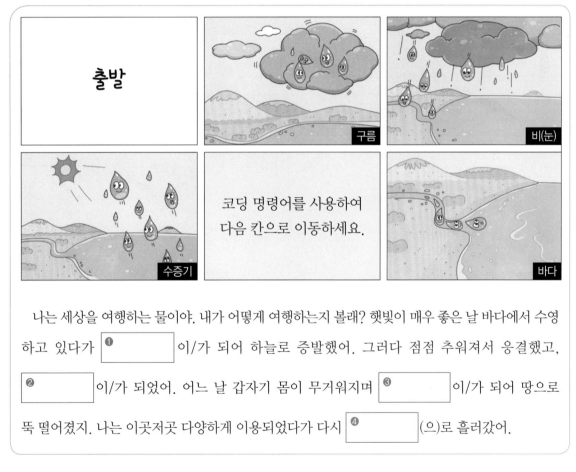

출발

구름

비(눈)

수증기

코딩 명령어를 사용하여 다음 칸으로 이동하세요.

바다

나는 세상을 여행하는 물이야. 내가 어떻게 여행하는지 볼래? 햇빛이 매우 좋은 날 바다에서 수영하고 있다가 ❶[   ] 이/가 되어 하늘로 증발했어. 그러다 점점 추워져서 응결했고, ❷[   ] 이/가 되었어. 어느 날 갑자기 몸이 무거워지며 ❸[   ] 이/가 되어 땅으로 뚝 떨어졌지. 나는 이곳저곳 다양하게 이용되었다가 다시 ❹[   ] (으)로 흘러갔어.

정답

[코딩 순서]

[ ] → [ ] → [ ] → [ ] → [ ]

[빈칸 채우기]

❶ [ ]   ❷ [ ]   ❸ [ ]   ❹ [ ]

직진하는 빛이
물체를 통과하지
못하면
그림자가 생겨.

거울에 비친 모습은
좌우가 바뀌어.

▲ 컵의 그림자

▲ 거울에 비친 모습

▲ 빛이 거울에 반사되는 모습

빛의 직진 — 그림자 — 거울 — 빛의 반사

그림자와 거울

그림자의 크기 — 거울의 이용

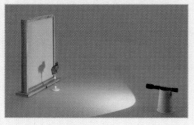
▲ 손전등의 위치를 변화시켜 그림자의
크기 조절할 수 있음.

▲ 미용실의 거울

▲ 편의점 거울

빛은 직진하는 성질과 거울에
부딪치면 반사된다는 성질이
있다는 것 꼭 기억해!

3주 3주에는 무엇을 공부할까? ❷

그림자

> 햇빛이 비칠 때 그림자가 생겨.

뜻 빛이 나아가다가 물체에 막히면 물체 뒤에 빛이 도달하지 못해 어둡게 보이는 부분

예 햇빛이 비치는 운동장에서 내 **그림자**가 생기는 것을 보았어요.

빛의 직진

直 進
곧을 **직** 나아갈 **진**

> 그림자가 닮았네.

뜻 빛이 곧게 나아가는 성질

예 **직진**하는 빛이 물체를 통과하지 못하면 물체의 모양과 비슷한 그림자가 생겨요.

> 손전등을 물체에 가깝게 하면 그림자의 크기가 커져.

그림자의 크기

뜻 그림자의 크기는 빛과 물체 사이의 거리에 따라 달라짐.

예 손전등의 위치를 조절하여 **그림자의 크기**를 크게 할 수 있어요.

스크린

> 스크린에 생긴 그림자를 이용해.

뜻 빛을 비추거나 빛에 의해 생긴 그림자 모양을 보기 위한 흰색 또는 은색 막

예 빛과 **스크린** 사이에 인형을 넣어 움직이면서 그림자 연극을 했어요.

그림자와 거울과 관련된 다양한 용어가 있어. 특히 빛의 직진, 빛의 반사 등의 용어는 꼭 기억해!

거울

실제 모습과 반대야.

뜻 빛의 반사를 이용해 물체의 모습을 비추는 도구

예 **거울**에 비친 인형의 모습은 실제 인형과 좌우가 바뀌어 보여요.

빛의 반사

反 射
되돌릴 **반** 궁술 **사**

안전하게 내리는지 확인해.

뜻 빛이 나아가다가 거울에 부딪치면 거울에서 빛의 방향이 바뀌는 성질

예 버스 운전기사는 뒤를 돌아보지 않고 **빛의 반사**를 이용한 거울로 승객을 볼 수 있어요.

만 화 경

환상적이야.

萬 華 鏡
일만 **만** 빛날 **화** 거울 **경**

뜻 세 개의 거울로 빛을 반사시켜 여러 가지 모양의 무늬를 관찰할 수 있는 장난감

예 **만화경** 안의 색종이 조각은 같은 모양이 반복되는 무늬를 만들어요.

빛이 직진해 나아가다 불투명한 물체를 만나면 진한 그림자가 생겨.

빛이 직진해 나아가다 투명한 물체를 만나면 연한 그림자가 생겨.

색깔은 똑같은데 좌우가 바뀌어 보이네.

1일 그림자

 구름아, 햇빛을 가리지 마!

 용어 체크

 용어 체크

○ **그림자**

빛이 나아가다가 물체에 막히면 물체 뒤에 빛이 도달하지 못해 어둡게 보이는 부분

예 물체에 손전등의 빛을 비추면 물체 뒤쪽에 [❶] 가 생긴다.

▲ 그림자 연극

정답 ❶ 그림자

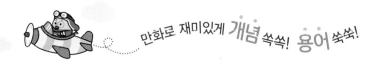

 물체 모양과 그림자 모양이 닮았어!

쨍~

구름이 걷히기 시작했어요.

장승 그림자가 생겼어요!

그럼 물체인 장승을 놓는 방향이 달라지면 그림자 모양도 달라지겠네요.

빛이 곧게 나아가는 성질 때문에 물체 모양과 그림자 모양이 비슷하지. 장승 그림자의 머리 부분이 가리키는 곳으로 가면 돼.

맞아. 역시 나를 닮아서 똑똑하구나.

전혀 안 닮았는데요.

호호

저리가!

봉 박사님이 백 배는 더 예뻐요.

슈우욱

끙

이번에 길을 찾는 방법은 ◆빛의 직진을 이용한 거군요.

툭툭

그렇다고 할 수 있지..

자, 그럼 장승 그림자의 머리 부분이 가리키는 곳으로 가요.

출발!

같이가!

용어 체크

◆ **빛의 직진**

빛이 곧게 나아가는 성질

예 구름 사이로 태양에서 나온 빛이 [①] 하는 모습을 볼 수 있다.

▲ 햇빛이 직진하는 모습

정답 ❶ 직진

1 그림자가 생기는 조건은 무엇일까?

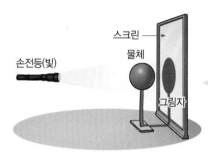

스크린
물체
손전등(빛)
그림자

• 물체에 빛을 비춰야 함.
• 손전등 – 물체 – 스크린 순서로 놓음.

그림자는 물체 뒤쪽에 생겨.

✔ 그림자가 생기려면 물체에 ❶ (거울 / 빛)을 비춰야 하며, 손전등 – 물체 – 스크린 순서로 놓습니다.

2 불투명한 물체와 투명한 물체의 그림자는 어떻게 다를까?

불투명한 물체의 그림자

그림자
도자기 컵

빛이 물체를 통과하지 못해 진한 그림자가 생김.

빛이 물체를 통과 하는 정도에 따라 그림자의 진하기가 달라.

투명한 물체의 그림자

그림자
유리컵

빛이 대부분 물체를 통과해 연한 그림자가 생김.

✔ 불투명한 물체는 빛이 물체를 통과하지 못해 ❷ (연한 / 진한) 그림자가 생기고, 투명한 물체는 빛이 대부분 물체를 통과해 ❸ (연한 / 진한) 그림자가 생깁니다.

3 물체 모양과 그림자 모양이 비슷한 까닭은 무엇일까?

실험 **동영상**

물체 모양과 그림자 모양 비교

원 모양 종이의 그림자

삼각형 모양 종이의 그림자

➡ 종이 모양과 그림자
모양이 비슷함.

ㄱ자 모양 블록으로 만든 여러 가지 모양의 그림자

➡ 물체를 놓는 방향이
달라지면 그림자의
모양이 달라지기도 함.

물체 모양과 그림자 모양이 비슷한 까닭
• 빛이 직진하기 때문임.
• 빛이 곧게 나아가는 성질을 빛의 직진이라고 함.

직진하는 빛이 물체를 통과
하지 못하면 물체 모양과
비슷한 그림자가 물체 뒤쪽에
있는 스크린에 생겨.

☑ 물체 모양과 그림자 모양이 비슷한 까닭은 빛이 ❹(직진 / 반사)하기 때문입니다.

정답 ❶ 빛 ❷ 진한 ❸ 연한 ❹ 직진

3주

🐻 **개념 체크**

◇ 정답과 풀이 9쪽

1 물체에 빛을 비추면 그림자는 물체 □□에 생깁니다.

2 빛이 물체를 □□하지 못해 그림자가 생깁니다.

3 ㄱ자 모양 블록을 놓는 □□에 따라 여러 가지 모양의 그림자가 생깁니다.

보기
• 앞쪽   • 뒤쪽
• 통과   • 흡수
• 방향   • 거리

1 다음 중 흰 종이에 공의 그림자가 생기게 하려면 반드시 필요한 것을 두 가지 고르시오.

(,   )

① 공   ② 실   ③ 손전등
④ 받침대   ⑤ 셀로판테이프

2 다음 ㉠~㉢ 중 어느 위치에 물체를 놓아야 그림자가 생기는지 기호를 쓰시오.

(   )

3 다음 물체에 손전등의 빛을 비췄을 때 스크린에 생기는 그림자를 줄로 바르게 이으시오.

(1)

▲ 도자기 컵에 손전등의 빛을 비출 때

·   · ㉠   연한 그림자가 생김.

(2)

▲ 유리컵에 손전등의 빛을 비출 때

·   · ㉡   진한 그림자가 생김.

4 다음은 도자기 컵과 유리컵에서 빛이 통과하는 정도를 비교한 글입니다. ㉠, ㉡에 들어갈 알맞은 말을 각각 쓰시오.

빛은 ㉠ 을 통과하지 못하고 ㉡ 을 대부분 통과합니다.

㉠ (   ) ㉡ (   )

5 다음과 같이 장치하고 손전등을 켰을 때 스크린에 생긴 그림자 모양으로 옳은 것은 어느 것입니까? (   )

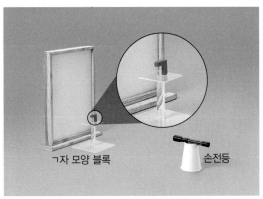

ㄱ자 모양 블록   손전등

①  ② 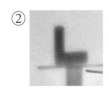 ③  ④

6 다음 중 물체 모양과 그림자 모양을 비교하는 내용으로 옳은 것에는 ○표, 옳지 <u>않은</u> 것에는 ×표를 하시오.

(1) 물체를 놓는 방향이 달라져도 그림자 모양은 달라지지 않습니다.   (   )

(2) 물체 모양과 그림자 모양이 비슷한 까닭은 빛이 직진하기 때문입니다. (   )

똑똑한 **하루 퀴즈**

7 다음 □ 안에 들어갈 알맞은 낱말을 말 상자에서 찾아 모두 ○표를 하세요. 말 상자의 낱말은 가로, 세로, 대각선에 숨어 있어요.

빛	🐻	사	방
직	유	🐻	도
진	🐻	리	자
🐻	진	하	기

❶ 도자기와 유리 중 빛을 대부분 통과시키는 물질.
□□

❷ 빛이 물체를 통과하는 정도에 따라 그림자의 □□□가 달라짐.

❸ 빛이 곧게 나아가는 성질. 빛의 □□

2일 그림자의 크기 변화

용어 체크

조절
균형이 맞게 바로잡거나 적당하게 맞추어 나감.
예 물체를 손전등에 가깝게 [❶] 하면
그림자의 크기가 커진다.

그림자의 크기
그림자의 크기는 빛과 물체 사이의 거리에 따라
달라짐.
예 손전등을 물체에서 멀게 하면 그림자의
크기가 [❷] 진다.

정답 ❶ 조절 ❷ 예 작아

물체만 움직여 그림자의 크기를 변화시켜 볼까?

3
주

용어 체크

스크린

빛을 비추거나 빛에 의해 생긴 그림자 모양을 보기 위한 흰색 또는 은색 막

예 손전등과 ❶[   ]을 그대로 두었을 때 그림자의 크기는 손전등과
물체 사이의 거리에 따라 달라진다.

▲ 손전등으로 빛을 비춰 스크린에
그림자가 생기게 하기

1 그림자의 크기를 변화시키려면 손전등의 위치를 어떻게 해야 할까?

🌐 물체와 스크린은 그대로 두고 손전등을 물체에 가깝게 할 때

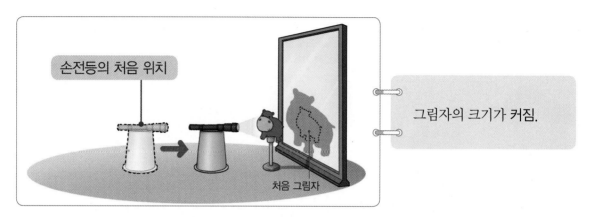

그림자의 크기가 커짐.

🌐 물체와 스크린은 그대로 두고 손전등을 물체에서 멀리 할 때

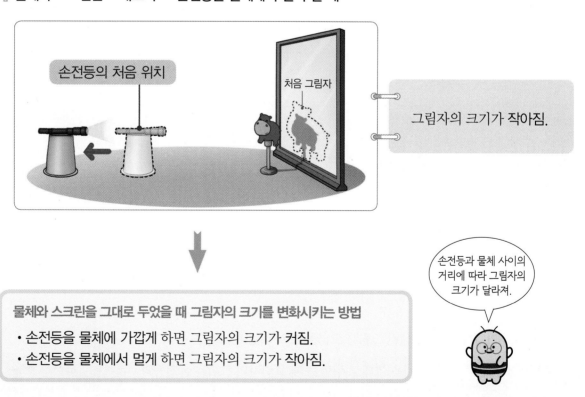

그림자의 크기가 작아짐.

손전등과 물체 사이의 거리에 따라 그림자의 크기가 달라져.

물체와 스크린을 그대로 두었을 때 그림자의 크기를 변화시키는 방법

• 손전등을 물체에 가깝게 하면 그림자의 크기가 커짐.
• 손전등을 물체에서 멀게 하면 그림자의 크기가 작아짐.

✔ 물체와 스크린을 그대로 두었을 때 그림자의 크기를 크게 하려면 손전등을 물체에 **❶**(가깝게 / 멀게) 하고, 그림자의 크기를 작게 하려면 손전등을 물체에서 **❷**(가깝게 / 멀게) 합니다.

2 그림자의 크기를 변화시키려면 물체의 위치를 어떻게 해야 할까?

🌐 스크린과 손전등을 그대로 두고 물체를 손전등에 가깝게 할 때

그림자의 크기가 커짐.

🌐 스크린과 손전등을 그대로 두고 물체를 손전등에서 멀게 할 때

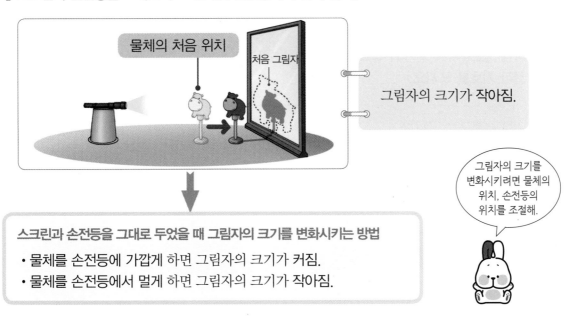

그림자의 크기가 작아짐.

> 그림자의 크기를 변화시키려면 물체의 위치, 손전등의 위치를 조절해.

스크린과 손전등을 그대로 두었을 때 그림자의 크기를 변화시키는 방법

• 물체를 손전등에 가깝게 하면 그림자의 크기가 커짐.
• 물체를 손전등에서 멀게 하면 그림자의 크기가 작아짐.

✔ 스크린과 손전등을 그대로 두었을 때 물체를 손전등에 가깝게 하면 그림자의 크기는 ❸ (작아지고 / 커지고), 물체를 손전등에서 멀게 하면 그림자의 크기는 ❹ (작아집니다 / 커집니다).

정답 ❶ 가깝게 ❷ 멀게 ❸ 커지고 ❹ 작아집니다

🐻 개념 체크

◦ 정답과 풀이 9쪽

1 물체와 스크린을 그대로 두고 ☐☐☐을/를 물체에 가깝게 하면 그림자의 크기가 커집니다.

2 스크린과 손전등을 그대로 두고 물체를 손전등에서 멀게 하면 그림자의 크기는 ☐☐집니다.

3 물체와 스크린을 그대로 두었을 때 손전등과 물체 사이의 ☐☐에 따라 그림자의 크기는 달라집니다.

> **보기**
> • 손전등 • 받침대
> • 크기 • 거리
> • 작아 • 키워

1 오른쪽과 같이 손전등을 화살표 방향으로 움직였을 때 스크린에 생기는 그림자에 대한 설명으로 옳은 것은 어느 것입니까? (   )

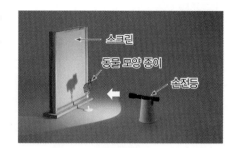

① 그림자가 사라진다.

② 그림자가 더 연해진다.

③ 그림자의 변화가 없다.

④ 그림자의 크기가 커진다.

⑤ 그림자의 크기가 작아진다.

2 다음 보기 에서 물체와 스크린을 그대로 두었을 때 그림자의 크기가 작아지는 경우를 골라 기호를 쓰시오.

보기

㉠ 손전등을 끕니다.

㉡ 손전등을 물체에서 멀게 합니다.

㉢ 손전등을 물체에 가깝게 합니다.

(   )

[3~4] 오른쪽은 스크린과 손전등을 그대로 두고 물체의 위치를 움직이는 모습입니다. 물음에 답하시오.

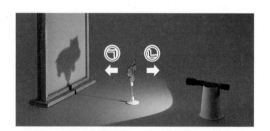

3 그림자의 크기를 작게 하려면 물체를 ㉠과 ㉡ 중 어느 쪽으로 움직여야 하는지 쓰시오.

(   )

4 위에서 물체를 ㉡ 방향으로 움직일 때 그림자의 크기는 어떻게 변하는지 쓰시오.

(   )

5 다음 중 그림자의 크기에 영향을 주는 것은 어느 것입니까? (　　　)

① 스크린의 크기　　　② 스크린의 색깔　　　③ 물체의 투명한 정도

④ 손전등의 색깔과 밝기　　⑤ 손전등과 물체 사이의 거리

집중 연습 문제　**그림자의 크기 변화시키기**

3주

6 다음은 이 실험으로 알 수 있는 사실에 대한 설명입니다. □ 안에 공통으로 들어갈 알맞은 말을 쓰시오.

실험 장치에서 무엇을 움직였는지 생각해 봐.

□ 와/과 물체가 멀어지면 그림자가 작아집니다. 따라서 □ 와/과 물체 사이의 거리는 그림자의 크기와 관련이 있습니다.

(　　　　　　)

7 다음 중 그림자의 크기 변화에 대한 설명으로 옳은 것에는 ○표, 옳지 않은 것에는 ×표를 하시오.

(1) 물체와 스크린을 그대로 두고 손전등과 물체 사이의 거리를 가깝게 하면 그림자의 크기는 커집니다. (　　　)

(2) 스크린과 손전등을 그대로 두고 물체를 손전등에서 멀게 하면 그림자의 크기는 커집니다. (　　　)

손전등과 물체 사이의 거리에 따라 그림자의 크기는 어떻게 변할까?

• 손전등을 물체에 가깝게 하면 그림자가 (　　) 진다.

• 손전등을 물체에서 멀게 하면 그림자가 (　　)(　　) 진다.

3_일 거울의 성질

거울에 비친 물체의 모습은 실제 물체와 같을까, 다를까?

용어 체크

◉ 거울

빛의 반사를 이용해 물체의 모습을 비추는 도구

예 에 비친 물체의 모습을 실제 물체의 모습과 좌우가 바뀌어
보인다.

▲ 거울에 비친 인형 모습

정답 ❶ 거울

정답 ❶ 반사

빛이 거울에 부딪치면 어떻게 될까?

여기에 반창고를 붙이면 감쪽같이 보이지 않아요.

이걸로 될까?

보세요.

오~ 감쪽같군.

척

호호

길은 찾는 건 아주 간단해. 📍빛의 반사를 이용하는 거야.

빛의 반사?

지금은 구름이 햇빛을 가려서 햇빛도 없는데요?

손전등을 이용하면 돼. 우선 거울을 저기 특이하게 생긴 나뭇가지 위에 세우고……

여기 서서 거울에 손전등을 비추면 거울에서 빛의 방향이 바뀌어 봉풀로 향하는 길을 알려 주지.

팟

오, 손전등의 빛이 나아가는 모습이 보여요.

봉 박사님, 인디아나 존스처럼 멋있어요.

나도 이 정도는 해낼 수 있다고!

어서 가자.

용어 체크

📍 **빛의 반사**

빛이 나아가다가 거울에 부딪치면 거울에서 빛의 방향이 바뀌는 성질

예 손전등의 빛이 거울에 부딪쳐 다른 방향으로 ❶〔   〕된다.

빛이 거울에 반사되는 모습 ▶

실험 동영상

1 거울에 비친 물체의 모습은 실제 물체와 어떻게 다를까?

▲ 거울에 비친 모습

거울에 비친 물체의 색깔은 실제 물체와 같아.

거울에 비친 물체	실제 물체

• 물체의 좌우가 바뀌어 보임.
• 물체의 상하는 바뀌어 보이지 않음.

✓ 거울에 비친 물체의 모습은 ❶(상하 / 좌우)가 바뀌어 보입니다.

2 빛이 거울에 부딪치면 어떻게 될까?

빛이 거울에 부딪쳐 나아가는 모습

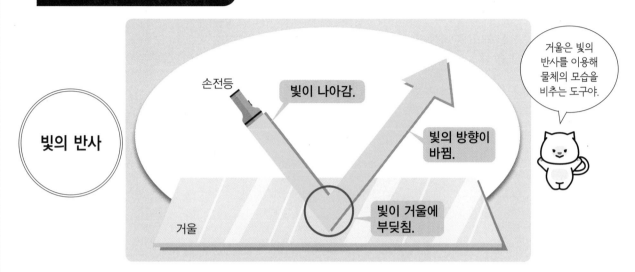

빛의 반사

손전등
빛이 나아감.
빛의 방향이 바뀜.
빛이 거울에 부딪침.
거울

거울은 빛의 반사를 이용해 물체의 모습을 비추는 도구야.

빛의 반사를 이용하는 상황

버스 운전기사가 뒤를 돌아 보지 않고도 승객이 안전하게 내리는지 확인할 수 있는 까닭 : 거울을 사용해 빛의 방향을 바꿀 수 있기 때문임.

빛을 다른 방향으로 반사하게 하려면 거울이 바라보는 방향을 바꾸면 돼.

빛이 나아가다가 거울에 부딪쳐서 빛의 방향이 바뀌는 것을 빛의 ❷ (직진 / 반사)(이)라고 합니다.

정답 ❶ 좌우 ❷ 반사

개념 체크

◦ 정답과 풀이 9쪽

1 거울에 비친 물체의 색깔은 실제 물체와 ☐☐니다.

2 ☐☐은 빛의 반사를 이용해 물체의 모습을 비추는 도구입니다.

3 빛을 다른 방향으로 반사하게 하려면 거울이 바라보는 ☐☐을/를 바꿉니다.

보기
• 같습   • 다릅
• 유리   • 거울
• 방향   • 물체

1 오른쪽 거울에 비친 고양이의 모습과 실제 고양이의 모습을 옳게 말한 친구의 이름을 쓰시오.

> 아윤 : 실제 고양이는 오른쪽 앞 다리를 위로 올렸어.
> 하람 : 위로 올린 다리의 위치가 서로 같아.
> 진서 : 거울에 비친 고양이는 오른쪽 앞 다리를 위로 올렸어.

(   )

2 오른쪽 글자를 거울에 비췄을 때의 모양으로 옳은 것은 어느 것입니까? (   )

과학

① 퍄햐

② ㅓ햐꾜

③ ㅓ햐ㅛ

④ 과학

3 다음 거울에 비친 물체 모습의 특징을 줄로 바르게 이으시오.

(1) 물체의 색깔 •

(2) 물체의 상하 •

(3) 물체의 좌우 •

• ㉠ 바뀌어 보임.

• ㉡ 바뀌어 보이지 않음.

4 다음 중 손전등의 빛을 거울에 비췄을 때 빛이 나아가는 모습으로 옳은 것의 기호를 쓰시오.

(   )

5 다음은 빛의 성질에 대한 설명입니다. ☐ 안에 들어갈 알맞은 말을 쓰시오.

빛이 나아가다가 거울에 부딪치면 거울에서 빛의 방향이 바뀝니다. 이러한 성질을
빛의 ☐☐(이)라고 합니다.

(   )

🐻 똑똑한 **하루 퀴즈**

6 다음 ☐ 안에 들어갈 알맞은 낱말을 말 상자에서 찾아 모두 ○표를 하세요. 말 상자의
낱말은 가로, 세로, 대각선에 숨어 있어요.

다	름	거	울
같	⭐	방	향
음	좌	⭐	상
⭐	공	우	하

❶ 거울에 비친 물체의 색깔은 실제 물체와 ☐☐.

❷ 거울에 비친 물체의 모습은 실제 물체의 모습과 ☐☐가 바뀌어 보임.

❸ 빛이 나아가다가 ☐☐에 부딪치면 빛의 방향이 바뀜.

4일 거울의 이용

우리 생활에서 거울을 이용한 것들을 찾아라!

박사님은 어떻게 거울도 이렇게 활용을 잘하세요.

뭐 그 정도 가지고 ......

호호호

거울은 우리 생활에 다양하게 이용되는 물건이야.

그래, 뭐가 있는데?

그거야 많죠.

화장실, 화장대에 있는 거울로 얼굴을 볼 수 있지. 또 옷가게 거울로 옷맵시를 보거나 무용실 거울로 연습하는 모습을 볼 수 있어.

투투투

아, 생각났어요. ● **자동차 옆 거울**과 뒷거울은 운전할 때 아주 중요한 역할을 하죠.

맞아. 자동차에 있는 거울은 차선을 바꾸거나 뒤에 오는 자동차를 보는 데에 유용해.

그보다 더 중요한 기능이 있어.

딱

내 미모를 감상할 수 있지~!

호호호

자신을 너무 사랑하는 분이셔.

🐻 **용어 체크**

● **자동차 옆 거울**

자동차 운전 중 차선을 바꿀 때 뒤쪽에서 오는 자동차가 있는지 확인하는 데에 사용하는 거울

예 자동차에서 거울을 이용한 예로 뒷거울과 [❶   ]이 있다.

 거울로 재미있는 장난감을 만들 수 있어!

용어 체크

⚲ 만화경

세 개의 거울로 빛을 반사시켜 여러 가지 모양의 무늬를 관찰할 수 있는 장난감

예 거울을 이용해 만든 장난감에는 여러 가지 모양의 무늬를 볼 수 있는

❶ [   ] 이 있다.

정답 ❶ 만화경

1 우리 생활에서 거울을 어떻게 이용할까?

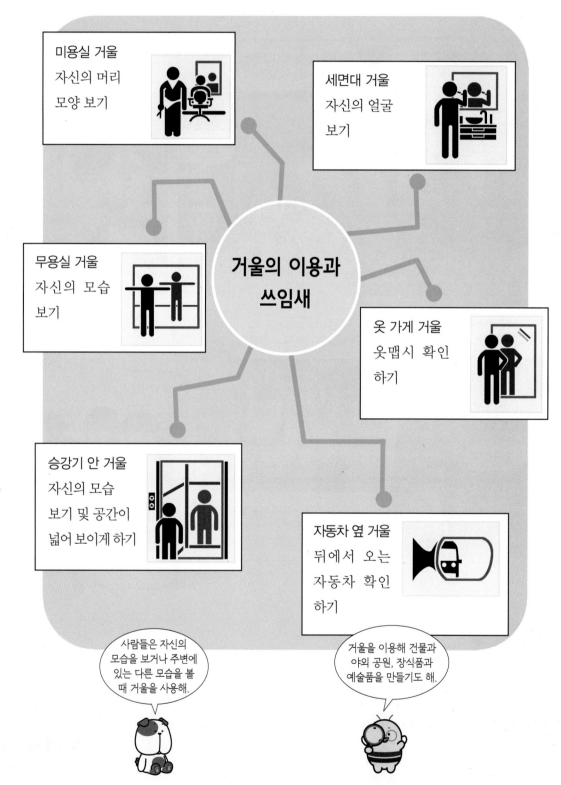

미용실 거울
자신의 머리 모양 보기

세면대 거울
자신의 얼굴 보기

무용실 거울
자신의 모습 보기

거울의 이용과 쓰임새

옷 가게 거울
옷맵시 확인하기

승강기 안 거울
자신의 모습 보기 및 공간이 넓어 보이게 하기

자동차 옆 거울
뒤에서 오는 자동차 확인하기

사람들은 자신의 모습을 보거나 주변에 있는 다른 모습을 볼 때 거울을 사용해.

거울을 이용해 건물과 야외 공원, 장식품과 예술품을 만들기도 해.

☑ 사람들은 자신의 모습이나 주변의 다른 모습을 볼 때 ❶(거울 / 돋보기)을/를 사용합니다.

거울의 이용

2 거울로 재미있는 장난감을 만들어 볼까?

🌐 거울이 빛을 반사하는 성질을 이용해 만든 장난감

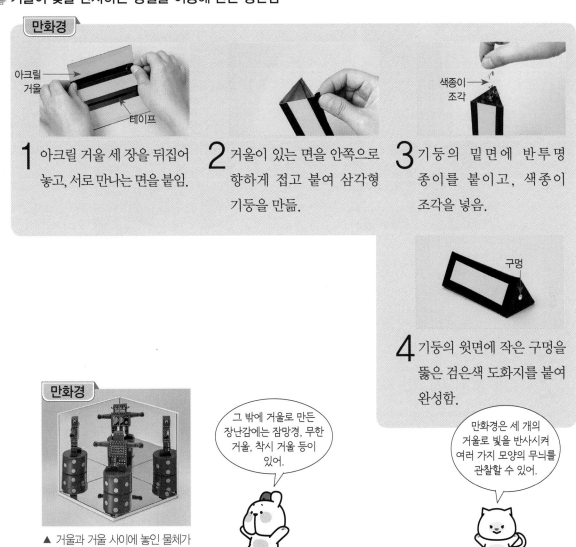

만화경

아크릴 거울

테이프

1 아크릴 거울 세 장을 뒤집어 놓고, 서로 만나는 면을 붙임.

2 거울이 있는 면을 안쪽으로 향하게 접고 붙여 삼각형 기둥을 만듦.

색종이 조각

3 기둥의 밑면에 반투명 종이를 붙이고, 색종이 조각을 넣음.

구멍

4 기둥의 윗면에 작은 구멍을 뚫은 검은색 도화지를 붙여 완성함.

만화경

▲ 거울과 거울 사이에 놓인 물체가 여러 개로 보이게 함.

그 밖에 거울로 만든 장난감에는 잠망경, 무한 거울, 착시 거울 등이 있어.

만화경은 세 개의 거울로 빛을 반사시켜 여러 가지 모양의 무늬를 관찰할 수 있어.

✔ 만화경, 잠망경 등은 거울이 빛을 ❷(흡수 / 반사)하는 성질을 이용한 장난감입니다.

정답 ❶ 거울 ❷ 반사

🐼 **개념 체크**

◆ 정답과 풀이 10쪽

1 ☐☐☐ 거울을 사용하여 세수할 때 얼굴을 볼 수 있습니다.

2 세 개의 거울로 빛을 반사시켜 여러 가지 모양의 무늬를 관찰할 수 있는 장난감은 ☐☐☐입니다.

3 만화경, 잠망경은 모두 ☐☐을/를 이용해 만든 장난감입니다.

보기
• 무용실   • 세면대
• 만화경   • 잠망경
• 거울   • 유리

1 다음 중 무용하는 모습을 보기 위해 거울을 이용한 예는 어느 것입니까? (   )

①
▲ 세면대 거울

②
▲ 무용실 거울

③
▲ 미용실 거울

④
▲ 옷 가게 거울

2 다음 중 뒤에서 오는 자동차를 보기 위해 거울을 이용하는 예의 기호를 쓰시오.

㉠
▲ 자동차 뒷거울

㉡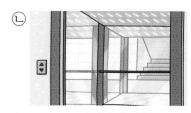
▲ 승강기 안 거울

(   )

3 다음은 우리 생활에서 이용하는 어떤 도구의 쓰임새를 설명한 것인지 쓰시오.

> • 자신의 모습을 볼 수 있습니다.
> • 공간을 넓어 보이게 할 수 있습니다.
> • 장식품이나 예술품을 만들 수 있습니다.

(   )

4 오른쪽은 거울의 성질을 이용해 만든 만화경입니다. 몇 개의 거울을 이용해 만든 것인지 쓰시오.

▲ 만화경

(   )개

5 오른쪽 장난감은 무엇을 이용해 만든 것입니까? (   )

① 거울   ② 스크린
③ 손전등   ④ 테이프
⑤ 아크릴판

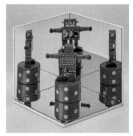

▲ 장난감

3주

6 다음 중 착시 거울, 무한 거울 등의 장난감에 이용된 거울의 성질로 옳은 것에 ○표를 하시오.

(1) 거울이 빛을 반사하는 성질 (   )
(2) 빛이 거울을 통과하는 성질 (   )

똑똑한 하루 퀴즈

7 다음 □ 안에 들어갈 알맞은 낱말을 말 상자에서 찾아 모두 ○표를 하세요. 말 상자의 낱말은 가로, 세로, 대각선에 숨어 있어요.

☆	미	뒤	앞
편	용	☆	쪽
좁	실	거	울
아	☆	넓	어

❶ □□□ 거울로 자신의 머리 모양을 볼 수 있음.
❷ 자동차 뒷거울을 이용하면 □□에서 오는 자동차를 확인할 수 있음.
❸ 승강기 안 거울은 내부 공간이 □□ 보이는 효과를 줌.
❹ 만화경을 만드는 데 아크릴 □□ 세 장이 필요함.

1 그림자

① 그림자가 생기는 조건
- 빛과 물체가 있어야 합니다.
- 손전등−물체−스크린 순서로 놓습니다.
- 그림자가 생기는 위치 : 물체의 뒤쪽

② 불투명한 물체와 투명한 물체의 그림자 비교

책, 그늘막, 모자 등 ～～～ 무색 비닐, OHP 필름 등

구분	불투명한 물체(도자기 컵)	투명한 물체(유리컵)
그림자 모양	도자기 컵의 모양과 비슷함.	유리컵의 모양과 비슷함.
빛이 통과하는 정도와 그림자 진하기	빛이 물체를 통과하지 못해 진한 그림자가 생김.	빛이 대부분 물체를 통과해 연한 그림자가 생김.

③ 물체 모양과 그림자 모양이 비슷한 까닭
- 빛이 직진하기 때문입니다.
- 빛의 직진 : 빛이 곧게 나아가는 성질

물체를 놓는 방향이 달라지면 그림자 모양이 달라지기도 해.

2 그림자의 크기 변화

물체와 스크린을 그대로 두기	손전등을 물체에 가깝게 할 때	손전등을 물체에서 멀게 할 때
모습		
그림자의 크기	커짐.	작아짐.
스크린과 손전등을 그대로 두기	물체를 손전등에 가깝게 할 때	물체를 손전등에서 멀게 할 때
모습		
그림자의 크기	커짐.	작아짐.

손전등과 물체 사이의 거리는 그림자의 크기에 영향을 줘.

3 거울의 성질

① 거울에 비친 물체와 실제 물체의 모습 비교

공통점	거울에 비친 물체의 색깔은 실제 물체와 같음.
차이점	물체의 상하는 바뀌어 보이지 않지만 좌우는 바뀌어 보임.

② 빛이 거울에 부딪쳐 나아가는 모습

- 손전등의 빛이 거울에 부딪치면 거울에서 빛의 방향이 바뀝니다.
- 빛의 반사 : 빛이 나아가다가 거울에 부딪쳐서 빛의 방향이 바뀌는 것

▲ 손전등의 빛이 거울에 부딪쳐 나아가는 모습

거울이 빛을 반사하는 성질을 이용해 만화경, 잠망경, 거울 세 개로 만든 장난감 등을 만들어.

4 거울의 이용

가정이나 학교	• 세면대 거울 : 세수나 양치할 때 얼굴 보기 • 무용실 거울 : 무용하는 모습 보기 • 승강기 안 거울 : 옷이나 얼굴 보기, 공간 확장 효과
가게	• 미용실 거울 : 머리 모양 보기 • 옷 가게 거울 : 옷맵시 보기 • 편의점 거울 : 안쪽의 물건 보기, 넓은 곳을 한눈에 보기
자동차	• 뒷거울과 옆 거울 : 뒤쪽에서 오는 자동차 확인하기

하루 칼럼

태양과 달이 만드는 그림자

지구는 태양 주위를 돌고 달은 지구 주위를 돌아요. 이렇게 움직이면서 달이 태양과 지구 사이에 오게 되는 때가 있는데, 이때 달이 태양을 가리게 되지요. 태양의 크기가 달보다 훨씬 크지만 달은 지구에 더 가깝게 있어서 달이 태양 전체를 가릴 수 있어요. 달에 의해 햇빛이 가려지면 지구에 엄청나게 큰 달의 그림자가 생겨요. 이것을 '일식'이라고 해요.

▲ 일식이 나타나는 까닭

1일 그림자

1 다음 중 햇빛이 비치는 낮에 운동장의 모습에 대한 설명으로 옳지 **않은** 것은 어느 것입니까? (   )

▲ 햇빛이 비치는 운동장의 모습

① 물체에 빛이 비춰질 때 그림자가 생긴다.

② 그림자가 생기려면 빛과 물체가 있어야 한다.

③ 햇빛이 비칠 때 물체 주변에 그림자가 생긴다.

④ 물체에 빛을 비추면 그림자가 물체 뒤쪽에 생긴다.

⑤ 구름이 햇빛을 가리면 물체 주변에 많은 그림자가 생긴다.

2 다음과 같이 도자기 컵과 유리컵의 그림자의 진하기가 다른 까닭을 빛이 통과하는 정도와 관련지어 줄로 바르게 이으시오.

(1)

▲ 도자기 컵

(2)

▲ 유리컵

· ㉠ 빛이 대부분 통과함.

· ㉡ 빛이 통과하지 못함.

· ㉮ 연한 그림자가 생김.

· ㉯ 진한 그림자가 생김.

3 다음 보기 에서 빛이 통과하는 못하는 물체를 두 가지 골라 기호를 쓰시오.

보기
㉠ 책   ㉡ 그늘막
㉢ 무색 비닐   ㉣ OHP 필름

(,   )

4 다음 중 ㄱ자 모양 블록으로 만든 다양한 모양의 그림자에 대한 설명으로 옳은 것에는 ○표, 옳지 <u>않은</u> 것에는 ×표를 하시오.

(1) ㄱ자 모양 블록과 그림자 모양은 같습니다. ( )

(2) ㄱ자 모양 블록을 놓는 방향이 달라지면 그림자 모양이 달라집니다. ( )

(3) ㄱ자 모양 블록을 놓는 방향이 달라지면 그림자 진하기가 달라집니다. ( )

3주

서술형

5 물체 모양과 그림자 모양이 비슷한 까닭을 쓰시오.

_____

_____

2일 **그림자의 크기 변화**

6 오른쪽과 같이 물체와 스크린을 그대로 두고 손전등을 물체에 가깝게 하거나 멀게 하여 그림자의 크기 변화를 관찰하였습니다. ㉠, ㉡에 들어갈 알맞은 말을 각각 쓰시오.

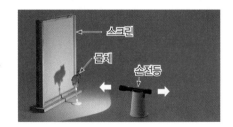

> 손전등을 물체에 가깝게 하면 그림자의 크기는 ㉠ 지고, 손전등을 물체에서 멀게 하면 그림자의 크기는 ㉡ 집니다.

㉠ ( ) ㉡ ( )

3일 거울의 성질

7 오른쪽 거울에 비친 모습에서 <u>잘못된</u> 부분을 골라 기호를 쓰시오.

( )

8 다음 중 거울에 비친 물체의 모습을 설명한 것으로 옳은 것은 어느 것입니까? ( )

① 실제 물체의 색깔과 다르다.
② 물체의 상하가 바뀌어 보인다.
③ 물체의 좌우가 바뀌어 보인다.
④ 실제 물체보다 더 크게 보인다.
⑤ 실제 물체보다 더 작게 보인다.

9 다음 중 빛이 나아가는 길에 거울을 놓았을 때 일어나는 현상에 대한 설명으로 옳은 것은 어느 것입니까? ( )

① 빛이 거울 속으로 사라진다.
② 빛이 거울을 통과해 나아간다.
③ 빛이 거울에 부딪쳐 더 어두워진다.
④ 빛이 거울에 부딪쳐 빛의 방향이 바뀐다.
⑤ 빛이 거울에 부딪쳐 더 이상 나아가지 않는다.

4일 거울의 이용

10 다음 두 그림에서 자신의 모습을 볼 때에 공통적으로 이용하는 도구를 쓰시오.

▲ 세수할 때 얼굴 보기

▲ 무용하는 자신의 모습 보기

( )

11 다음 중 승강기 안 거울의 쓰임새를 바르게 말한 친구의 이름을 쓰시오.

미래 : 거울이 멋있는 장식품 역할을 해.
수빈 : 자신의 옷과 얼굴을 볼 때 거울을 이용해.
혜승 : 거울이 승강기 안의 공간을 좁아 보이게 해.

(   )

12 다음 중 오른쪽과 같이 세 개의 거울로 빛을 반사시켜 여러 가지 모양의 무늬를 볼 수 있는 장난감을 골라 ○표를 쓰시오.

잠망경   만화경   무한 거울

13 다음 십자말풀이를 해 보세요.

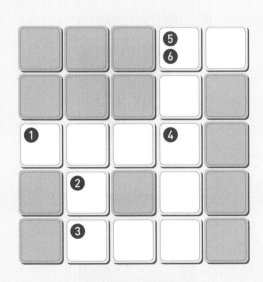

➡가로

❶ □□□는 물체와 빛이 있어야 생김.

❸ 빛이 물체를 통과하는 정도에 따라 그림자의 □□□가 달라짐.

❺ 빛의 반사를 이용해 물체의 모습을 비추는 도구. □□

⬇세로

❷ 물체 모양과 그림자 모양이 비슷한 까닭은 빛이 □□하기 때문임.

❹ 흙으로 만든 □□□ 컵은 빛이 통과하지 못해 진한 그림자가 생김.

❻ 손전등과 물체 사이의 □□에 따라 그림자의 크기가 달라짐.

1 다음 실험에서 그림자가 생기는 조건에 대한 설명으로 옳은 것에 ○표를 하시오.

흰 종이
손전등
그림자 공

(1) 손전등 같은 빛과 물체가 필요합니다.

( )

(2) 흰 종이와 공 사이에 불을 켠 손전등을 놓습니다. ( )

2 다음 중 빛을 대부분 통과시키는 물체는 어느 것입니까? ( )

① 책   ② 손
③ 그늘막   ④ 도자기 컵
⑤ OHP 필름

3 다음 중 그림자가 생기는 까닭을 바르게 설명한 친구의 이름을 쓰시오.

> 진서 : 그림자는 물체 뒤에 빛이 도달했기 때문에 생겨.
> 해담 : 그림자는 빛이 나아가다가 물체를 만나면 통과하지 못하기 때문에 생겨.
> 준희 : 그림자는 물체가 빛을 흡수하기 때문에 생겨.

( )

4 다음 중 보기에서 물체 모양과 그림자 모양에 대한 설명으로 옳은 것끼리 짝지은 것은 어느 것입니까? ( )

> 보기
> ㉠ 물체 모양과 그림자 모양은 비슷합니다.
> ㉡ 물체를 놓는 방향이 달라져도 그림자 모양은 달라지지 않습니다.
> ㉢ 빛이 직진하기 때문에 물체 모양과 그림자 모양이 비슷합니다.
> ㉣ 빛이 반사하기 때문에 물체 모양과 그림자 모양이 비슷합니다.

① ㉠, ㉡   ② ㉠, ㉢
③ ㉠, ㉣   ④ ㉡, ㉢
⑤ ㉡, ㉣

5 다음 중 물체와 스크린은 그대로 두고 손전등을 물체에 가깝게 또는 멀게 할 때 그림자의 크기를 줄로 바르게 이으시오.

(1)

▲ 손전등을 물체에 가깝게 할 때

· ㉠ 그림자의 크기가 작아짐.

(2)

▲ 손전등을 물체에서 멀게 할 때

· ㉡ 그림자의 크기가 커짐.

6 다음 중 거울에 비친 '과학' 글자의 모습으로 옳은 것을 골라 기호를 쓰시오.

ⓖ 파햗   ⓛ 과학   ⓒ ㅑ햗끄

(   )

7 다음은 버스 운전기사가 뒤를 돌아보지 않고도 승객이 안전하게 내리는지 확인할 수 있는 까닭입니다. ㉠, ㉡에 들어갈 알맞은 말을 각각 쓰시오.

[㉠] 을/를 사용하여 빛의 [㉡] 을/를 바꿀 수 있기 때문입니다.

㉠ (   ) ㉡ (   )

8 다음 중 빛이 나아가다가 거울에 부딪치면 거울에서 빛의 방향이 바뀌는 성질을 무엇이라고 합니까? (   )

① 빛의 흡수
② 빛의 통과
③ 빛의 반사
④ 빛의 직진
⑤ 빛의 굴절

9 다음 중 가게에서 거울을 이용하는 예를 두 가지 고르시오. (,   )

①
▲ 화장실 거울

②
▲ 미용실 거울

③
▲ 화장대 거울

④
▲ 편의점 거울

⑤
▲ 자동차 옆 거울

10 다음의 장난감은 거울의 어떤 성질을 이용해 만든 것인지 쓰시오.

▲ 만화경

▲ 거울 세 개로 만든 장난감

(   )

생활 속 과학

창의·융합·코딩

3주 특강

우리 생활에서 거울을 어떤 쓰임새로 이용하는지 알아봅니다.

백화점 거울의 비밀을 밝혀 볼까?

1 다음은 우리 생활에서 거울을 이용한 예를 그림으로 표현한 것이에요. 그림에서 ❶～❻ 내용에 해당하는 모습을 찾아 각각 번호를 쓰세요.

❶ 가게에서 신발을 신은 모습을 비춰 봅니다.

❷ 화장을 합니다.

❸ 공간을 넓어 보이게 합니다.

❹ 야외 공원을 만듭니다.

❺ 입 안을 자세히 봅니다.

❻ 넓은 공간을 작게 보여 주어 한눈에 봅니다.

사고 쑥쑥

그림자와 거울과 관계있는 용어의 의미를 알아봅니다.

2 다음 퍼즐판에서 조각이 빠진 부분에 문제의 답이 적힌 퍼즐 조각을 끼우면 완성이 돼요. 각 퍼즐 조각에 해당하는 부분의 기호를 쓰세요.

ⓛ 빛이 나아가다가 물체에 막히면 물체 뒤에 생기는 빛이 도달하지 못하는 부분은?

㉠ 빛이 곧게 나아 가는 성질은?

ⓒ 빛이 나아가다가 거울에 부딪쳐서 빛의 방향이 바뀌는 성질은?

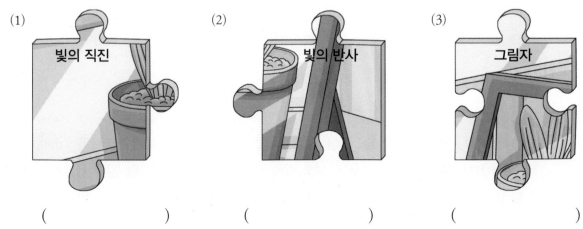

(1) 빛의 직진

(   )

(2) 빛의 반사

(   )

(3) 그림자

(   )

3 다음은 빛이 비칠 때 컵이 놓인 모습에 따라 달라지는 그림자 모양을 찾아가는 사다리예요. 사다리를 바르게 따라 내려가면 옳은 모양의 그림자를 찾을 수 있어요. **❶~❹**의 컵에 알맞은 그림자의 모양을 각각 그려 보세요.

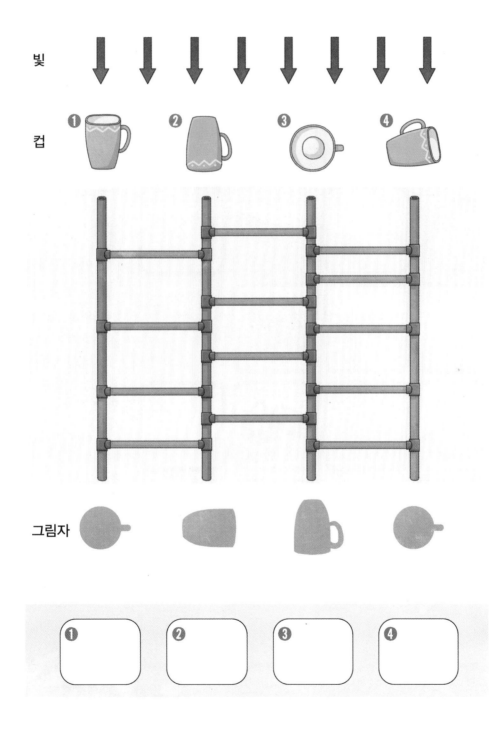

빛

컵

그림자

| ❶ | ❷ | ❸ | ❹ |

3주특강

논리 탄탄

불투명한 물체와 투명한 물체의 그림자를 비교해 봅니다.

4 주아는 해수욕장으로 피서를 가기 위해 가방에 넣을 물건을 찾고 있어요. 다음 코딩 순서를 통해 주아가 찾는 물건은 무엇인지 써 보세요.

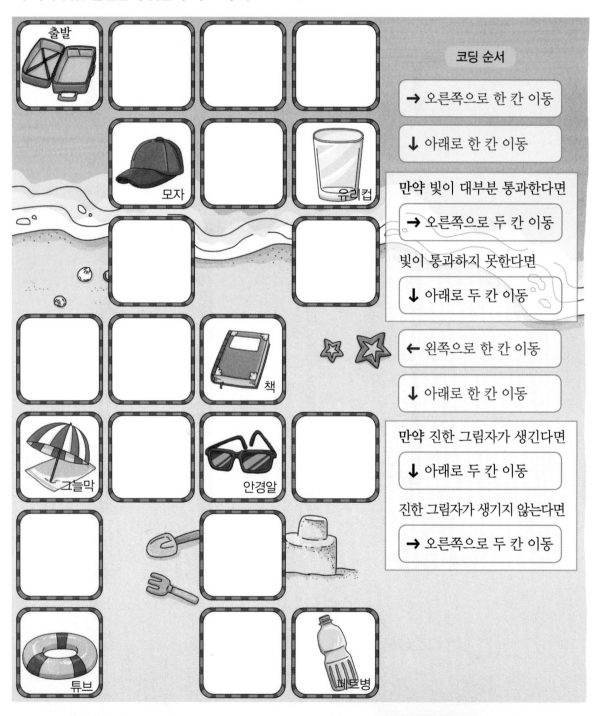

코딩 순서

→ 오른쪽으로 한 칸 이동

↓ 아래로 한 칸 이동

만약 빛이 대부분 통과한다면
→ 오른쪽으로 두 칸 이동

빛이 통과하지 못한다면
↓ 아래로 두 칸 이동

← 왼쪽으로 한 칸 이동

↓ 아래로 한 칸 이동

만약 진한 그림자가 생긴다면
↓ 아래로 두 칸 이동

진한 그림자가 생기지 않는다면
→ 오른쪽으로 두 칸 이동

주아가 찾는 물건

손전등과 물체 사이의 거리에 따라 그림자의 크기 변화를 알아봅니다.

5 다음은 물체의 그림자 크기를 변화시키는 과정을 나타내는 순서도예요. 문제를 해결하는 과정에 맞게 길을 따라가며 표시하고 빈칸에 들어갈 알맞은 말을 쓰세요.

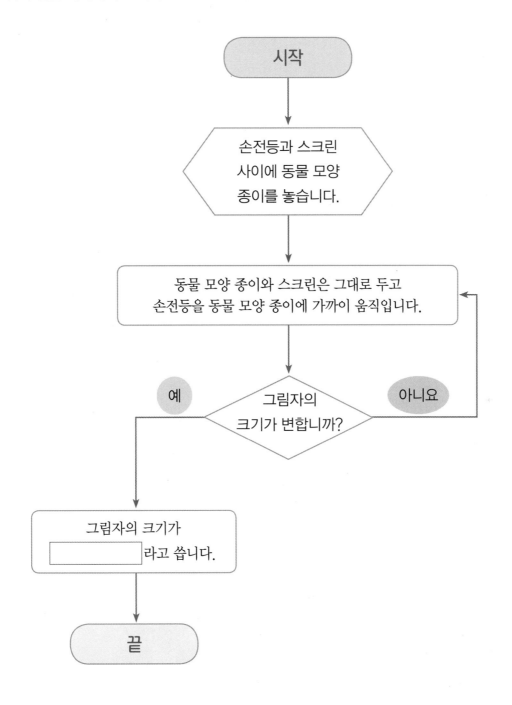

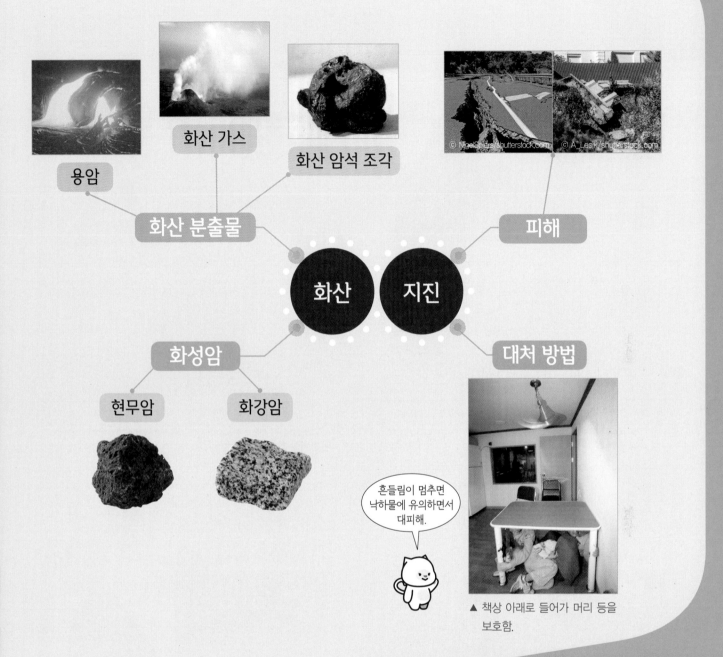

용암

화산 가스

화산 암석 조각

© NigelSpiers/shutterstock.com   © A_Lesik/shutterstock.com

화산 분출물

피해

화산   지진

화성암

대처 방법

현무암   화강암

흔들림이 멈추면 낙하물에 유의하면서 대피해.

▲ 책상 아래로 들어가 머리 등을 보호함.

화산 분출물, 현무암과 화강암, 지진이 발생했을 때의 피해 및 지진 발생 시 대처 방법 등을 꼭 기억해!

마그마

뜻 땅속 깊은 곳에서 암석이 녹은 것

예 **마그마**에는 녹은 암석 외에도 여러 가지 기체가 포함되어 있어요.

화 산

火 山
불 화   메 산

화산은 크기와 생김새가 다양해.

뜻 마그마가 분출하여 생긴 지형

예 제주도에 있는 한라산은 용암이 분출하여 솟아오른 **화산**이에요.

백두산의 꼭대기에는 화산 호수인 천지가 있어.

나는 현무암으로 만든 돌하르방!

현무암

玄 武 巖
검을 현   호반 무   바위 암

뜻 지표 가까이에서 마그마가 빠르게 굳어진 암석

예 제주도에서는 **현무암**으로 돌담을 쌓고, 돌하르방을 만들어요.

북한산 봉우리는 거대한 화강암이야.

화강암

花 崗 巖
꽃 화   언덕 강   바위 암

뜻 땅속 깊은 곳에서 마그마가 천천히 식어 굳어진 암석

예 북한산 **화강암** 봉우리는 땅속 깊은 곳에서 만들어져 오랜 세월 동안 지표가 깎이고 솟아오른 것이에요.

화산, 지진과 관련된 다양한 용어가 있어.
특히 마그마, 현무암, 화강암, 규모 등의 용어는 꼭 기억해!

지진

地 震
땅 지   천둥 진

뜻 땅이 끊어지면서 흔들리는 것

예 지층이 끊어지거나 화산 활동에 의해서 **지진**이 발생하기도 해요.

규모

規 模
법 규   본뜰 모

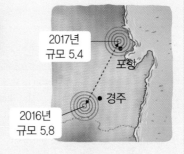

2017년 규모 5.4 포항
2016년 규모 5.8 경주

뜻 지진에서 나온 지진 에너지의 양을 수로 나타낸 것

예 지진의 **규모**를 숫자로 나타내는 방법은 미국의 지진학자 리히터가 도입한 것이에요.

내진 설계

耐 震 設 計
견딜   천둥   설립할   헤아릴
내   진   설   계

난 지진 발생에 대비해 설계되었어.

뜻 지진을 견딜 수 있도록 건물 등을 설계하는 것

예 우리나라도 지진에 안전한 지역이 아니기 때문에 **내진 설계**를 하여 건물을 지어야 해요.

화산 활동에서 마그마가 분출하여 용암이 돼.

지진이 발생하면 땅이 흔들리거나 갈라져.

지진 발생

지진의 크기를 나타낼 때는 규모 ○.○ 이라고 해.

화산 지대인 제주도에는 현무암이 많아.

1일 화산 활동

마그마가 땅을 뚫고 나왔다고?

용어 체크

마그마

땅속 깊은 곳에서 암석이 녹은 것

예 화산에는 [①_____] 가 분출한 흔적이 있다.

화산

마그마가 분출하여 생긴 지형

예 [②_____] 은 용암이나 화산재가 쌓여 주변 지형보다 높다.

정답 ① 마그마 ② 화산

화산이 폭발할 때 분화구가 생겨!

4주

용어 체크

○ 분화구

화산의 꼭대기에 움푹 파인 곳

噴	火	口
뿜을	불	입
분	화	구

예 한라산은 꼭대기에 ❶ [　　　]가 있다.

○ 화산 분출물

화산이 분출할 때 나오는 물질

예 화산 가스, 용암, 화산재, 화산 암석
조각 등은 ❷ [　　　]이다.

1 화산이란 무엇일까?

마그마가 분출하여 생긴 지형

◉ 우리나라의 **화산**

한라산

• 산꼭대기에 분화구가
  있음.
  화산의 꼭대기에
  움푹 파인 곳
• 산꼭대기에 화산 호수
  (백록담)가 있음.

백두산

• 산꼭대기에 화산 호수
  (천지)가 있음.

울릉도

• 바다 한가운데 종 모양
  으로 솟아 있음.
• 성인봉에는 평지(나리
  분지)가 있음.

◉ 세계 여러 지역의 화산

시나붕산(인도네시아)

분화구

후지산(일본)

킬라우에아산(미국 하와이)

화산은 꼭대기에 분화구가 있는 것도 있고, 물이 고여 있는 것도 있어요.

◉ 세계 여러 화산의 공통점과 차이점

공통점	차이점
• 마그마가 분출한 흔적이 있음. • 용암이나 화산재가 쌓여 주변 지형보다 높음.	• 화산의 경사나 높이가 다름. • 화산의 크기와 생김새가 다양함.

화산이 아닌 산은
산꼭대기에 분화
구가 없어.

✓ 땅속 깊은 곳에서 암석이 녹은 **마그마가 지표면으로 분출하여 만들어진 지형**을 **①**(산 / **화산**)이라고
합니다.

2 화산 분출물에는 무엇이 있을까?

▶ 실험 동영상

◉ 화산 분출 모형실험 하기

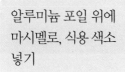
알루미늄 포일 위에 마시멜로, 식용 색소 넣기

→

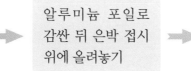
알루미늄 포일로 감싼 뒤 은박 접시 위에 올려놓기

→

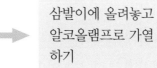
삼발이에 올려놓고 알코올램프로 가열하기

모형실험	실제 화산
연기	화산 가스

모형실험	실제 화산
굳은 마시멜로	화산 암석 조각

모형실험	실제 화산
흐르는 마시멜로	용암

알루미늄 포일이 들썩거리고, 윗부분에서 연기가 피어오르며, 액체인 마시멜로가 흘러나오고, 굳어.

◉ 화산 분출물
└ 화산이 분출할 때 나오는 물질

▲ 용암(액체)

▲ 화산재(고체)

▲ 화산 암석 조각(고체)

▲ 화산 가스(기체)

✓ 화산 분출물에는 기체인 화산 가스, ❷(고체 / 액체)인 용암, ❸(고체 / 액체)인 화산재와 화산 암석 조각 등이 있습니다.

정답 ❶ 화산 ❷ 액체 ❸ 고체

🐻 개념 체크

◇ 정답과 풀이 13쪽

1 마그마가 분출하여 생긴 지형을 ☐☐(이)라고 합니다.

2 화산이 아닌 산은 산꼭대기에 ☐☐☐가 없습니다.

3 화산 분출물 중에서 화산 암석 조각은 ☐☐입니다.

보기
• 고체   • 기체
• 산맥   • 화산
• 분화구 • 웅덩이

정답과 풀이 13쪽

1 다음 중 오른쪽 한라산에 대한 설명으로 옳지 <u>않은</u> 것은 어느 것입니까? (   )

① 화산이다.
② 우리나라의 산이다.
③ 산꼭대기에 분화구가 있다.
④ 산꼭대기에 화산 호수(백록담)가 있다.
⑤ 흐르는 물에 의해 만들어진 지형이다.

▲ 한라산

2 다음은 화산에 대한 설명입니다. (   ) 안의 알맞은 말에 ○표를 하시오.

> 화산은 산꼭대기에 분화구가 있는 것도 있고, 물이 고여 있는 것도 있습니다. 그러나 화산이 아닌 산은 산꼭대기에 (돌 / 분화구)이/가 없습니다.

3 다음 중 우리나라의 화산을 골라 기호를 쓰시오.

▲ 후지산

▲ 백두산

▲ 킬라우에아산

(   )

4 다음 보기 에서 세계 여러 화산의 공통점으로 옳은 것을 골라 기호를 쓰시오.

보기
㉠ 화산의 경사나 높이가 모두 같습니다.
㉡ 마그마가 분출한 흔적이 있습니다.
㉢ 화산의 크기와 생김새가 모두 같습니다.

(   )

5 다음 화산 분출물 중 기체인 것은 어느 것입니까? (   )

▲ 용암

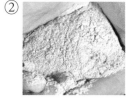
▲ 화산재

▲ 화산 가스

▲ 화산 암석 조각

집중 **연습 문제** **화산 분출 모형실험**

[6~7] 오른쪽은 화산 분출 모형실험의 모습입니다. 물음에 답하시오.

연기
흐르는 마시멜로
굳은 마시멜로

흘러내리는 마시멜로는 고체, 액체, 기체 중 어느 것일까?

6 다음은 위 실험의 결과입니다. ☐ 안에 들어갈 알맞은 말을 쓰시오.

알루미늄 포일이 들썩거리고, 윗부분에서 연기가 피어오르며, ☐ 인 마시멜로가 흘러나온 뒤 굳습니다.

(   )

7 위의 모형실험에서 나오는 물질과 실제 화산에서 나오는 물질을 비교해 관련 있는 것끼리 줄로 바르게 이으시오.

(1) 연기   ·   · ㉠   용암

(2) 굳은 마시멜로   ·   · ㉡   화산 가스

(3) 흐르는 마시멜로   ·   · ㉢   화산 암석 조각

실제 화산 윗부분에서 피어오르는 것, 흐르는 것, 굳은 것은 무엇일지 생각해 봐.

4
주

2일 현무암과 화강암

구멍이 많이 난 어두운 색의 돌이 많아

용어 체크

◉ 화성암

뜨거운 마그마가 식어 만들어진 암석

예 지하에서 생성된 높은 온도의 마그마가 식어져 굳어지면 [❶   ]이 된다.

◉ 현무암

지표면 가까이에서 마그마가 빠르게 굳어진 암석

예 제주도의 돌하르방은 [❷   ]으로 만들어졌다.

▲ 돌하르방

정답 ❶ 화성암 ❷ 현무암

🐻 석굴암이나 불국사 계단을 만든 돌은 무엇일까?

4
주

📍 화강암

땅속 깊은 곳에서 마그마가 천천히 식어서 굳어진 것으로, 밝은 바탕에 검은색 알갱이가 보이는 암석

예 경주의 석굴암에 가면 [❶   ]으로 만들어진 본존불상을 볼 수 있다.

▲ 석굴암 본존불

정답 ❶ 화강암

1 현무암과 화강암은 어떤 특징이 있을까?

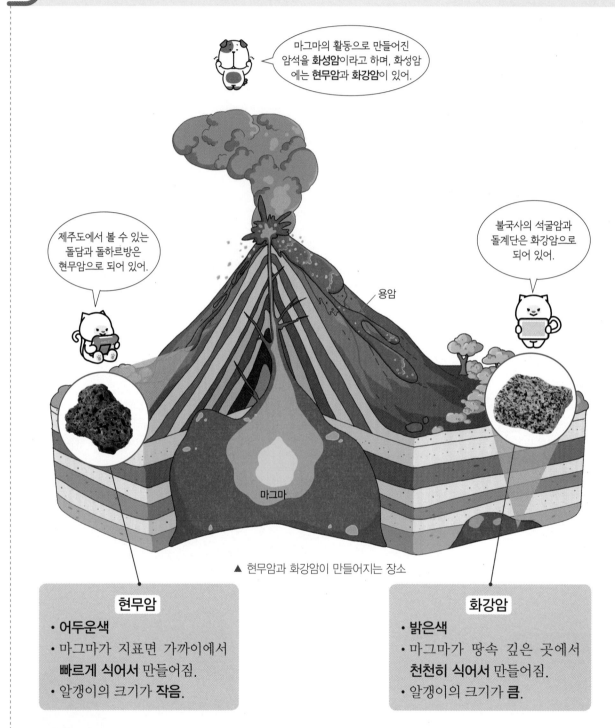

마그마의 활동으로 만들어진 암석을 **화성암**이라고 하며, 화성암에는 **현무암**과 **화강암**이 있어.

제주도에서 볼 수 있는 돌담과 돌하르방은 현무암으로 되어 있어.

불국사의 석굴암과 돌계단은 화강암으로 되어 있어.

용암

마그마

▲ 현무암과 화강암이 만들어지는 장소

현무암

• 어두운색
• 마그마가 지표면 가까이에서 **빠르게 식어서** 만들어짐.
• 알갱이의 크기가 **작음**.

화강암

• 밝은색
• 마그마가 땅속 깊은 곳에서 **천천히 식어서** 만들어짐.
• 알갱이의 크기가 **큼**.

☑ 현무암은 마그마가 지표 가까이에서 빠르게 식어서 알갱이의 크기가 ❶(크고 / 작고),
화강암은 마그마가 땅속 깊은 곳에서 서서히 식어서 알갱이의 크기가 ❷(큽니다 / 작습니다).

2 화산 활동은 우리 생활에 어떤 영향을 줄까?

피해

화산 분출물이 마을과 농경지를 뒤덮거나 산불을 발생시킴.

화산재는 농작물과 동식물에게 피해를 주고, 물을 오염시킴.

화산재가 태양빛을 차단해.

화산재와 화산 가스의 영향으로 호흡기 질병 및 날씨의 변화가 나타남.

이로운 점

온천

지열 발전

땅속의 높은 열은 온천 개발이나 지열 발전에 활용함.

화산재는 땅을 기름지게 하여 농작물이 자라는 데 도움을 줌.

용암 동굴

화산 활동과 특이한 지형을 관광지로 이용함.

화산 활동은 우리 생활에 피해를 주기도 하지만 이로운 점도 많아.

✔ 화산 주변 땅속의 높은 열은 온천, ❸(수력 / 지열) 발전에 활용하기도 합니다.

정답 ❶ 작고 ❷ 큽니다 ❸ 지열

🐻 개념 체크

◎ 정답과 풀이 13쪽

1 화성암은 ☐☐☐ 의 활동으로 만들어진 암석입니다.

2 마그마가 땅속 깊은 곳에서 천천히 식어서 만들어진 암석은 ☐☐☐ 입니다.

3 화산이 분출할 때 나오는 ☐☐☐ 은/는 땅을 기름지게 합니다.

보기
· 마그마   · 화산재
· 현무암   · 화강암

1 다음 중 마그마의 활동으로 만들어진 암석은 어느 것입니까? (   )

① 이암   ② 역암   ③ 사암
④ 화성암   ⑤ 퇴적암

2 다음은 현무암과 화강암입니다. 암석의 이름에 맞게 줄로 바르게 이으시오.

(1) ·

(2) ·

· ㉠ 화강암

· ㉡ 현무암

3 다음은 현무암과 화강암에 대한 설명입니다. 현무암에 대한 것이면 '현', 화강암에 대한 것이면 '화'라고 쓰시오.

(1) 색깔이 어둡고 알갱이가 매우 작습니다.   (   )

(2) 마그마가 지표 가까이에서 빠르게 식어서 만들어집니다.   (   )

(3) 석굴암이나 불국사의 돌계단은 이 돌로 만들어졌습니다.   (   )

4 다음은 화산 활동이 우리 생활에 주는 영향에 대한 설명입니다. ☐ 안에 들어갈 알맞은 말을 쓰시오.

> 화산이 분출할 때 나오는 [   ]은/는 땅을 기름지게 하여 농작물이 자라는 데 도움을 줍니다.

(   )

5 다음 중 화산 활동이 우리에게 주는 피해로 볼 수 <u>없는</u> 것은 어느 것입니까? (   )

① 산불을 발생시킨다.

② 화산재가 물을 오염시킨다.

③ 화산 분출물이 마을과 농경지를 뒤덮는다.

④ 화산 활동과 특이한 지형을 관광지로 이용한다.

⑤ 화산재와 화산 가스의 영향으로 날씨의 변화가 나타난다.

6 오른쪽은 화산 활동을 이용하는 예입니다. (   ) 안의 알맞은 말에 ○표를 하시오.

화산 주변 (화산재 / 땅속의 높은 열 / 화산 가스) 을/를 온천 개발이나 지열 발전에 이용합니다.

▲ 온천   ▲ 지열 발전

 똑똑한 **하루 퀴즈**

7 다음 □ 안에 들어갈 알맞은 낱말을 말 상자에서 찾아 모두 ○표를 하세요. 말 상자의 낱말은 가로, 세로, 대각선에 숨어 있어요.

강	✿	중	✿
✿	화	력	현
지	포	성	무
열	✿	이	암

❶ 마그마의 활동으로 만들어진 암석. □□□

❷ 제주도의 돌하르방을 이루는 암석. □□□

❸ 땅속의 높은 열을 이용해 전기를 생산하는 것.
□□ 발전

4-2 • **149**

3_일 지진

🐻 **용어 체크**

📍 **지진**

땅이 끊어지면서 흔들리는 것

地	震
땅	천둥
지	진

예 • ❶ [　　] 이 나자 바닥이 흔들리고 물건들이 바닥에 떨어졌다.

• 이번 ❷ [　　] 으로 발생한 해일로 수많은 인명 피해가 발생하였다.

 이 정도의 흔들림이면 지진의 규모가 얼마일까?

![용어 체크]

⦿ 규모

지진에서 나온 지진 에너지의 양을 수로 나타낸 것

예 • ❶[   ] 7.5의 지진이 발생하여 건물과 도로의 많은 부분이 파손되었다.

• 지진의 크기를 나타낼 때 사용하는 ❷[   ]는 소수점 이하 한 자리까지 나타낸다.

정답 ❶ 규모 ❷ 규모

▶ 실험 동영상

1 지진이 발생하는 까닭은 무엇일까?

우드록을 양손으로 밀 때와 실제 지진과 비교해 보자.

🌐 지진 발생 모형실험과 실제 자연 현상 비교하기

▼ 양손으로 우드록 밀어 보기

▼ 지진으로 갈라진 땅

지진 발생 모형실험	실제 자연 현상
우드록	땅
양손으로 미는 힘	지구 내부에서 작용하는 힘
우드록이 끊어질 때의 떨림	지진

🌐 지진이 발생하는 까닭

지진 : 땅이 끊어지면서 흔들리는 것을 말함.

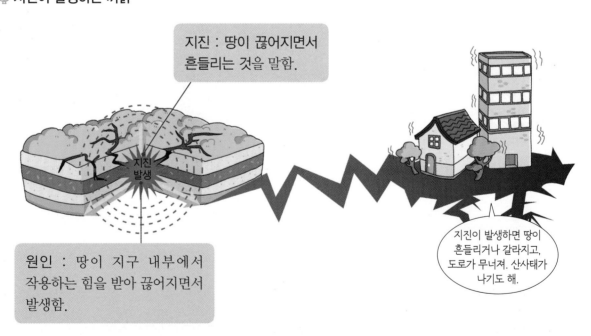

원인 : 땅이 지구 내부에서 작용하는 힘을 받아 끊어지면서 발생함.

지진이 발생하면 땅이 흔들리거나 갈라지고, 도로가 무너져. 산사태가 나기도 해.

✔️① (화산 폭발 / **지진** / 가뭄)은 땅이 지구 내부에서 작용하는 힘을 받아 끊어지면서 발생합니다.

2 최근 발생한 지진 피해 사례에는 어떤 것이 있을까?

지진의 세기	• 규모로 나타냄. • 규모의 숫자가 클수록 강한 지진임.

🌐 최근 우리나라 지진 피해 사례 ⑩

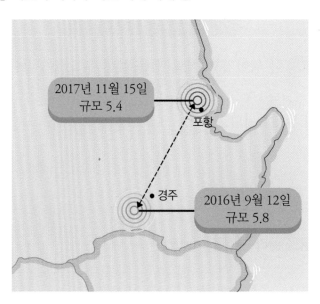

2017년 11월 15일
규모 5.4

포항

경주

2016년 9월 12일
규모 5.8

우리나라도 규모 5.0 이상의 지진이 발생했어. 지진에 안전한 지역이 아니야.

규모가 같다면 지진 발생 지역에서 가까울수록 피해가 커지고, 지진 경보 시기가 빠르거나 잘 대비한 경우 피해가 작지.

🧪 최근 다른 나라에서 발생한 지진 피해 사례 ⑩

연도	지역	규모	피해 내용
2015	네팔	규모 7.5	사망자 및 실종자 발생, 건물 붕괴
2017	일본	규모 5.6	전봇대 파손, 건물 손상
2018	대만	규모 6.0	사망자 및 실종자 발생, 호텔 붕괴

☑ 우리나라는 지진에 안전한 지역이 ❷(맞습니다 / **아닙니다**).

정답 ❶ 지진 ❷ 아닙니다

🐼 개념 체크

◈ 정답과 풀이 14쪽

1 지진 발생 모형실험에서 우드록은 실제 자연 현상에서 ☐ 에 해당합니다.

2 땅이 흔들리며 끊어지는 것을 ☐☐ (이)라고 합니다.

3 지진의 세기는 ☐☐ (으)로 나타냅니다.

보 기
• 강 • 땅
• 화산 • 지진
• 규모 • 무게

1 다음은 우드록을 이용해 지진 발생 모형실험을 하는 모습입니다. 이 실험의 결과에 대한 설명으로 옳은 것에는 ○표, 옳지 <u>않은</u> 것에는 ×표를 하시오.

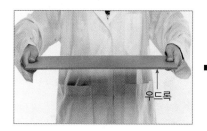
우드록

(1) 우드록에 약하게 힘을 주면 우드록이 휘어지고, 계속 힘을 주면 우드록이 끊어집니다. ( )

(2) 우드록이 휘어질 때 손에 떨림이 느껴집니다. ( )

2 다음 보기 에서 지진이 발생하는 까닭을 골라 기호를 쓰시오.

보기
㉠ 태풍　　　　　　　　　㉡ 산사태
㉢ 계절 변화　　　　　　　㉣ 땅이 끊어질 때

( )

3 다음 지진 발생 모형실험과 실제 자연 현상을 비교한 내용을 줄로 바르게 이으시오.

(1) 우드록　　　　　　　　　　　　　　　　㉠ 지구 내부에서 작용하는 힘

(2) 양손으로 미는 힘　　　　　　　　　　　　㉡ 지진

(3) 우드록이 끊어질 때의 떨림　　　　　　　　㉢ 땅

4 다음은 지진에 대한 설명입니다. ☐ 안에 공통으로 들어갈 알맞은 말을 쓰시오.

> 지진의 세기는 [   ](으)로 나타내고, [   ]의 숫자가 클수록 강한 지진입니다.

(   )

5 다음 중 지진 피해 사례의 조사 내용으로 옳지 <u>않은</u> 것은 어느 것입니까? (   )

① 지진의 규모   ② 지진 피해 내용

③ 지진 발생 일시   ④ 지진 발생 지역

⑤ 지진 발생 지역의 기온

6 오른쪽은 2016년에 발생한 경주의 지진에 대한 내용입니다. 이것으로 알게 된 사실을 바르게 말한 친구를 쓰시오.

> • 규모 5.8
> • 피해 내용 : 부상자 발생, 건물 균열, 지붕과 담장 파손

> 준희 : 화산 활동으로 발생한 지진이야.
> 서준 : 우리나라는 지진에 안전한 지역이야.
> 라온 : 규모가 큰 지진이 발생해 재산 피해를 입었어.

(   )

똑똑한 하루 퀴즈

7 다음 ☐ 안에 들어갈 알맞은 낱말을 말 상자에서 찾아 모두 ○표를 하세요. 말 상자의 낱말은 가로, 세로, 대각선에 숨어 있어요.

화	산	⭐	땅
지	⭐	진	동
진	인	⭐	자
⭐	힘	명	석

❶ 땅이 지구 내부에서 작용하는 힘을 받아 끊어지면서 흔들리는 것을 ☐☐(이)라고 함.

❷ 지진 발생 모형실험에 이용한 우드록은 실제 자연 현상에서 ☐을 의미함.

❸ 규모가 큰 지진이 발생하면 사람이 다치고 건물과 도로가 무너지는 등 ☐☐ 및 재산 피해가 생김.

4일 지진이 발생했을 때 대처하는 방법

 지진이 발생했을 때 어떻게 하지?

🔍 **용어 체크**

📍 **대피 훈련**

지진 등 위험한 상황에 대비하여 피해를 입지 않도록 안전하게 현장을 피하는 방법 익히는 일

예 학교에 있을 때 지진이 발생할 경우에 대비하여 지진 ❶ [　　　　]을 한다.

📍 **구급약품**

응급 치료에 필요한 의약품

예 지진이 발생하기 전에 비상 용품과 ❷ [　　　　]을 미리 준비해 두었다.

정답 ❶ 대피 훈련 ❷ 구급약품

 대피한 후에는 어떻게 하지?

재난 방송입니다. 현재 동북쪽 10 km 지역에서 규모 5.0의 지진이 발생했습니다. 가방 등으로 머리를 보호하고 진동이 멈출 때까지 옥외 대피소에 머물러 주십시오.

지진 옥외 대피소

이곳은 지진 발생에 대비하여 지정된 긴급 대피장소 입니다

여기 있으면 사람들은 안전할 텐데 마을 건물들은 어떻게 해요?

이 마을의 건물들은 지진에 견딜 수 있게 **내진 설계**가 되어 있어서 괜찮을 거야.

그런데 봉풀이는 어떻게 해요? 내일이 발표인데…….

박사님은 역시…

얘들아! 발표보다 너희들 안전이 가장 우선이야.

설마 발표를 못하게 되어서 우시는 거예요?

그건 아니고, 내 봉풀이를 다신 못 본다고 생각하니…….

걱정 마세요. 봉풀이는 제가 내려오기 전에 채집했어요.

봉풀아! 고맙다. 정우야.

봉풀 발표회

용어 체크

재난 방송
재난을 당한 사실이나 재난 피해를 알리는 방송

예 지진 발생 후에는 계속해서 ❶ [   ]

을 들으며 올바른 정보에 따라 행동한다.

내진 설계
지진을 견딜 수 있도록 건물을 설계하는 일

예 높은 건물은 지진의 진동을 견딜 수 있도록

❷ [   ] 되어 있다.

1 지진이 발생하면 어떻게 해야 할까?

지진 발생 전

흔들리기 쉬운 물건을 고정하고 높은 곳에 있는 물건은 내려놓음.

소화기, 비상 용품, 구급 배낭을 준비함.

비상시 대처 방법과 대피 장소, 경로 등을 알아 둠.

☑ 지진이 [1] (발생하기 전 / 발생한 후)에 비상 용품을 준비해 두고 대피 장소를 알아 둡니다.

지진 발생 시

흔들릴 때	흔들림이 멈춘 후

탁자 아래로 들어가 탁자 다리를 잡고, 방석 등으로 머리를 보호함.	전기와 가스를 끄고 문을 열어 둠.

흔들릴 때	흔들림이 멈춘 후

교실에서는 책상 아래로 들어가 머리와 몸을 보호하고 책상 다리를 잡음.	머리를 보호하고 선생님의 지시에 따라 운동장으로 대피함.

흔들릴 때	흔들림이 멈춘 후

승강기 안에 있을 때 모든 층을 눌러 가장 먼저 열리는 층에서 내림.	건물에서 승강기 대신 계단을 이용해 이동함.

평소 지진 발생 시 행동 요령을 잘 알고 대피 훈련을 해야 대처할 수 있어.

지진이 발생했을 때 대처하는 방법

흔들릴 때	흔들림이 멈춘 후	흔들릴 때	흔들림이 멈춘 후

대형 할인점에서는 장바구니로 머리를 보호함.

안내 방송에 따라 밖으로 대피함.

건물 밖에서는 머리를 보호하고 건물에서 멀리 떨어짐.

머리를 보호하며 운동장이나 공원 등으로 대피함.

☑ 교실 안에 있을 경우 지진으로 흔들릴 때에는 ❷ (칠판 / **책상**) 아래로 들어가 머리와 몸을 보호합니다.

지진 발생 후

부상자를 확인해 응급 처치를 하거나 구조 요청을 함.

대피 장소에서 재난 방송을 들으며 올바른 정보에 따라 행동함.

☑ 대피 장소에 도착한 후 ❸ (**재난** / 음악) 방송을 들으며 올바른 정보에 따라 행동합니다.

정답 ❶ 발생하기 전 ❷ 책상 ❸ 재난

개념 체크

○ 정답과 풀이 14쪽

1 지진이 발생하기 전에 ☐ 은 곳에 놓여 있는 물건은 내려놓습니다.

2 지진 발생 시 승강기 안에 있을 경우 모든 층을 눌러 가장 먼저 열리는 층에서 내려 ☐☐ 으로 대피합니다.

3 지진이 발생했을 때 ☐☐ 을/를 보호하며 대피 장소로 이동합니다.

보기
- 낮
- 높
- 계단
- 옥상
- 가방
- 머리

1 다음 중 지진에 대비하여 미리 준비해 두어야 할 물건으로 적당하지 <u>않은</u> 것은 어느 것입니까? (   )

①
▲ 물

②
▲ 구급약품

③
▲ 라디오

④
▲ 청소기

2 다음 보기에서 지진이 발생하기 전에 대비하는 방법으로 옳은 것을 두 가지 골라 기호를 쓰시오.

보기
㉠ 대피 장소와 대피 경로를 알아 둡니다.
㉡ 텔레비전이나 꽃병 등은 높은 곳에 둡니다.
㉢ 옷장이나 냉장고 등은 넘어지지 않게 고정합니다.
㉣ 좋아하는 장난감과 동화책을 준비합니다.

(,   )

3 다음 중 지진으로 흔들릴 때의 대처 방법으로 옳은 것에는 ○표, 옳지 <u>않은</u> 것에는 ×표를 하시오.

(1) 대형 할인점에 있을 경우 장바구니로 머리를 보호합니다. (   )

(2) 건물 밖에 있을 경우 건물이나 벽 주변에 기대어 섭니다. (   )

(3) 승강기 안에 있을 경우 바닥에 앉아 몸을 웅크리고 있습니다. (   )

4 다음 중 지진의 흔들림이 멈추었을 때 대처 방법으로 옳은 것을 골라 기호를 쓰시오.

㉠

▲ 책상 아래로 들어가 머리
   와 몸을 보호함.

㉡

▲ 승강기 대신 계단을 이용
   해 이동함.

(   )

5 다음은 지진 대피 후 행동 요령에 대한 설명입니다. ☐ 안에 들어갈 알맞은 말을 쓰시오.

> ☐☐☐☐을/를 응급 처치하거나 구조 요청을 하고, 재난 방송을 들으며 안내에
> 따릅니다.

(   )

**4
주**

똑똑한 하루 퀴즈

6 다음 ☐ 안에 들어갈 알맞은 낱말을 말 상자에서 찾아 모두 ○표를 하세요. 말 상자의
낱말은 가로, 세로, 대각선에 숨어 있어요.

☆	캠	핑	대
비	운	☆	피
상	☆	동	☆
☆	계	단	장
재	안	내	☆
☆	승	강	기

❶ 지진이 발생하기 전에 물, 구급약, 라디오 등 ☐☐ 용품을 준비해 둠.

❷ 대형 할인점에서는 ☐☐ 방송에 따라 밖으로 대피함.

❸ 건물에서 승강기 대신 ☐☐을 이용해 이동함.

❹ 지진의 흔들림이 멈췄을 때 머리를 보호하며 학교 ☐☐☐이나 공원으로 신속하게 대피함.

❺ 학교에 있을 때 지진이 발생할 경우에 대비하여 지진 ☐☐ 훈련을 함.

울릉도 성인봉에는 화산 활동으로 생긴 나리분지가 있어.

1 화산 활동

① 화산의 모습

- 화산 : 땅속의 마그마(땅속 깊은 곳에서 암석이 녹은 것)가 분출하여 생긴 지형
- 산꼭대기에 분화구가 있고, 물이 고여 있기도 합니다.
- 화산의 생김새는 다양합니다.
- 우리나라에 있는 화산 : 한라산, 백두산 등

② 화산 활동으로 나오는 물질(화산 분출물)

구분	화산재	화산 암석 조각	용암	화산 가스
모습				
특징	• 고체 • 가루 물질	• 고체 • 다양한 크기	• 액체 • 마그마에서 기체가 빠져 나간 것	• 기체 • 대부분 수증기

2 현무암과 화강암

마그마가 굳은 암석을 화성암이라고 해. 대표적으로 현무암과 화강암이 있어.

① 현무암과 화강암의 특징 비교

구분	현무암	화강암
모습		
색	어두움.	밝음.
알갱이의 크기	작음.	큼.
생성 과정	마그마가 지표 가까이에서 빠르게 식어서 만들어짐.	마그마가 땅속 깊은 곳에서 서서히 식어서 만들어짐.
기타	표면에 구멍이 있거나 없음.	검은색, 반짝이는 알갱이가 있음.

② 화산 활동이 우리 생활에 주는 영향

피해	이로운 점
• 산불이 남. • 용암이나 화산재가 마을과 농경지를 덮침. • 화산재가 농작물과 동식물에 피해를 줌.	• 화산 주변에서 온천이나 관광지를 개발함. • 화산 주변의 지열을 이용해 전기를 생산함. • 화산재가 쌓여 땅을 기름지게 함.

3 지진

① 지진 발생 모형실험과 실제 지진 비교하기

지진은 땅이 흔들리면서 끊어지는 것이야.

지진 발생 모형실험	실제 자연 현상
우드록	땅
우드록이 끊어질 때 손의 떨림	지진
양손으로 미는 힘	지구 내부에서 작용하는 힘

② 지진 발생 원인 : 땅이 지구 내부에서 작용하는 힘을 받아 끊어지면서 발생합니다.

③ 규모 : 지진의 세기를 나타내는 말입니다.

4 지진이 발생했을 때 대처하는 방법

지진 발생 전	비상 용품 준비, 흔들리거나 떨어지기 쉬운 물건 고정
지진 발생 시	책상 아래로 들어가 머리와 몸 보호, 계단을 이용해 건물 밖으로 이동, 전기와 가스를 차단하고 출구 확보, 넓은 장소로 대피
지진 발생 후	부상자 응급 처치, 재난 방송 청취

4주

Talk Talk

▶ 실험 동영상

🕐 📍 📶 📶 100%

이것 봐! 내진 설계로 만든 건물 모형이야.

내진 설계?

지진을 견딜 수 있도록 설계하는 것을 말해.

아하! 용수철이 충격을 흡수하고, 대각선으로 수수깡을 연결해 진동을 견디게 만들었구나.

1일 화산 활동

1 다음의 우리나라에 있는 산 중 화산이 <u>아닌</u> 것을 골라 기호를 쓰시오.

▲ 한라산

▲ 지리산

▲ 백두산

(   )

2 다음과 같이 화산이 분출할 때 나오는 물질을 무엇이라고 합니까? (   )

▲ 화산 가스

▲ 용암

▲ 화산재

① 퇴적물   ② 퇴적암   ③ 화성암

④ 마그마   ⑤ 화산 분출물

3 다음 보기 에서 화산 가스에 대한 설명으로 옳은 것을 골라 기호를 쓰시오.

보기
㉠ 액체 상태입니다.
㉡ 대부분 수증기로 이루어져 있습니다.
㉢ 마그마에서 기체가 빠져나간 것으로, 매우 뜨겁습니다.

(   )

● 정답과 풀이 15쪽

2일 현무암과 화강암

4 다음 중 오른쪽의 현무암에 대한 설명으로 옳지 <u>않은</u> 것은 어느 것입니까? (　　　)

① 화성암이다.

② 어두운색이다.

③ 알갱이가 매우 크다.

④ 지표 가까이에서 만들어진다.

⑤ 표면에 크고 작은 구멍이 많이 뚫려 있는 것도 있다.

5 다음은 화강암의 알갱이가 맨눈으로 구별할 수 있을 정도로 큰 까닭을 설명한 것입니다. ☐ 안에 들어갈 알맞은 말을 쓰시오.

> 화강암은 마그마가 땅속 깊은 곳에서 ☐ 식어서 만들어지기 때문에 알갱이의 크기가 큽니다.

(　　　　　　　　　)

6 다음 중 화산 활동이 우리 생활에 주는 피해를 골라 기호를 쓰시오.

▲ 화산재가 쌓여 기름져진 땅에서 농사를 지음.

▲ 화산 활동으로 만들어진 특이한 지형을 관광지로 이용함.

▲ 화산재와 화산 가스의 영향으로 호흡기 질병 및 날씨의 변화가 나타남.

(　　　　　　　　　)

3일 지진

7 다음 보기에서 지진에 대한 설명으로 옳지 <u>않은</u> 것을 골라 기호를 쓰시오.

> **보기**
>
> ㉠ 땅이 끊어지면서 흔들리는 것을 말합니다.
> ㉡ 낮과 밤이 번갈아 나타나기 때문에 발생합니다.
> ㉢ 지진이 발생하면 땅이 흔들리고 갈라지기도 합니다.

(   )

서술형

8 오른쪽은 지진 발생 모형실험을 하는 모습입니다. 우드록, 양손으로 미는 힘, 우드록이 끊어질 때의 떨림은 각각 실제 자연 현상의 무엇에 해당하는지 쓰시오.

우드록

_____

_____

9 다음 중 지진의 세기를 나타내는 말로 옳은 것은 어느 것입니까? (   )

① 자극   ② 무게   ③ 질량

④ 규모   ⑤ 물질

10 다음을 읽고 지진의 세기가 같을 때 피해 정도에 대한 설명으로 옳은 것에는 ○표, 옳지 않은 것에는 ×표를 하시오.

(1) 지진 경보 시기가 느릴수록 피해가 작습니다.   (   )

(2) 지진 발생 지역에서 가까울수록 피해가 큽니다.   (   )

(3) 지진에 잘 대비한 경우일수록 피해가 작습니다.   (   )

11 오른쪽은 교실 안에 있을 때 지진이 발생한 경우입니다. ⊙과 ⓒ 중 바르게 대처한 모습의 기호를 쓰시오.

▲ 창문 가까이 붙어 앉음.

▲ 책상 아래로 들어가 머리와 몸을 보호함.

(   )

12 다음 중 승강기 안에 있을 때 지진이 발생한 경우 바르게 대처한 친구의 이름을 쓰시오.

> 태호 : 가장 높은 층의 버튼을 눌러 높은 층에서 내립니다.
>
> 지수 : 모든 층의 버튼을 눌러 가장 먼저 열리는 층에서 내립니다.

(   )

똑똑한 하루 퀴즈

13 다음 십자말풀이를 해 보세요.

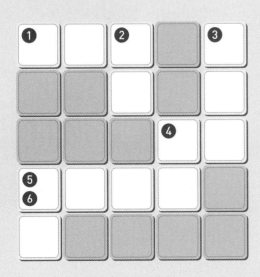

→가로

❶ 한라산은 산꼭대기에 □□□가 있는 화산임.

❹ 액체 상태의 화산 분출물

❺ 땅속의 열을 이용해 전기를 만드는 것

↓세로

❷ 현무암은 표면에 □□이 많이 뚫려 있는 것도 있음.

❸ 마그마가 땅속 깊은 곳에서 굳은 암석

❻ 땅이 끊어지면서 흔들리는 것

1 다음 ㉠, ㉡에 들어갈 알맞은 말을 각각 쓰시오.

> ┌────────────────────────────┐
> │ ㉠ 은/는 땅속 깊은 곳에서 암석이
> │ 녹은 ㉡ 이/가 지표면으로 분출하여
> │ 만들어진 지형입니다.
> └────────────────────────────┘

㉠ (   ) ㉡ (   )

2 다음 중 화산에 대해 바르게 설명한 친구의 이름을 쓰시오.

> ┌────────────────────────────┐
> │ 진서 : 화산의 생김새는 모두 같아.
> │ 해솔 : 마그마가 분출한 흔적이 없어.
> │ 준영 : 한라산 꼭대기에 호수가 있어.
> └────────────────────────────┘

(   )

3 다음 화산 분출물에 대한 설명을 줄로 바르게 이으시오.

(1) 화산 가스 •   • ㉠ 액체, 마그마에서 기체가 빠져 나간 것

(2) 용암 •   • ㉡ 고체, 가루 물질, 크기가 다양함.

(3) 화산재, 화산 암석 조각 •   • ㉢ 기체, 대부분 수증기

4 다음 중 현무암에 대한 설명으로 옳은 것을 두 가지 고르시오. (,   )

① 암석의 색이 밝다.
② 암석의 색이 어둡다.
③ 암석을 이루는 알갱이의 크기가 크다.
④ 암석을 이루는 알갱이의 크기가 작다.
⑤ 검은색 또는 반짝이는 알갱이가 보인다.

5 다음 중 현무암과 화강암이 만들어지는 곳을 골라 기호를 쓰시오.

(1) 현무암 (   )
(2) 화강암 (   )

6 다음 보기 에서 화산 활동이 우리 생활에 주는 피해를 골라 바르게 짝지은 것은 어느 것입니까?

(   )

> 보기
>
> ㉠ 산불이 발생합니다.
> ㉡ 화산 주변에서 지열 발전을 합니다.
> ㉢ 화산재가 쌓여 땅을 기름지게 합니다.
> ㉣ 용암이나 화산재가 마을과 농경지를 덮칩니다.
> ㉤ 화산 주변에서 온천이나 관광지를 개발합니다.

① ㉠, ㉢   ② ㉠, ㉣

③ ㉡, ㉤   ④ ㉢, ㉣

⑤ ㉡, ㉢, ㉤

7 다음 중 지진 발생 모형실험과 실제 자연 현상을 비교한 내용으로 <u>잘못된</u> 것을 골라 기호를 쓰시오.

지진 발생 모형실험	실제 자연 현상
우드록	㉠ 땅
양손으로 미는 힘	㉡ 지구 내부에서 작용하는 힘
우드록이 끊어질 때의 떨림	㉢ 홍수

(   )

8 다음 중 지진 피해에 대한 설명으로 옳은 것은 어느 것입니까? (   )

① 지진은 다른 나라에서만 발생한다.

② 도시는 농촌에 비해 지진 피해를 덜 입는다.

③ 큰 규모의 지진이 발생해도 도로나 건물은 안전하다.

④ 최근 우리나라는 지진이 발생해도 피해를 입지 않는다.

⑤ 지진이 발생하면 산사태가 나서 도로나 집을 덮치기도 한다.

9 다음 중 지진이 발생했을 때 대처 방법으로 옳은 것을 골라 기호를 쓰시오.

▲ 흔들림이 멈추면   ▲ 머리를 보호하고
전깃불을 켜기   건물에서 떨어지기

(   )

10 다음 중 지진 발생 후 대처 방법으로 옳은 것에는 ○표, 옳지 <u>않은</u> 것에는 ×표를 하시오.

(1) 재난 방송을 들으며 안내에 따릅니다.

(   )

(2) 부상자를 확인하여 구조 요청을 합니다.

(   )

(3) 비상 용품을 준비합니다. (   )

생활 속 과학

화산 활동의 이로운 점을 알아봅니다.

현무암의 변신은 어디까지?

와! 제주도다!

공기가 진짜 좋아요!

제주도를 상징하는 돌하르방이네.

표면에 구멍이 송송 뚫려 있는 걸 보니 현무암으로 만들어진 건가 봐요.

제주도는 화산 폭발로 만들어진 섬이라서 현무암이 많데.

아는 게 많아서 좋겠다.

깔깔

쳇!

에헴

이제 관광하러 가 볼까?

박사님! 저기 보이는 산이 한라산이에요?

부우웅

그래. 한라산은 제주도 중앙에 있는 화산으로 많은 사람들이 찾는 관광지 중 하나지.

아! 따뜻해. 화산 주변에 온천을 개발해 이렇게 관광지로 이용할 수 있다니. 화산 활동의 이로운 점이 많은데?

박사님, 배고파요.

꼬르륵

치킨 먹자!

박사님, 이건 현무암이잖아요.

진짜 치킨이야.

이건 현무암 모양을 본떠서 만든 치킨이야. 정말 현무암이랑 똑같지?

쩝 쩝 쩝

맛있어!

혼자 다 먹을 거야?

1 사다리를 타고 내려가 화산 활동의 이로운 점에 대해 바르게 말한 친구의 이름을 쓰세요.

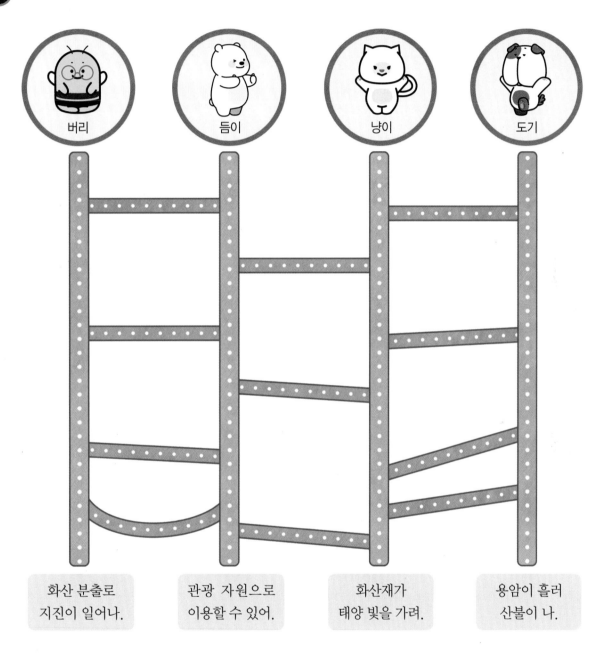

버리

듬이

냥이

도기

화산 분출로
지진이 일어나.

관광 자원으로
이용할 수 있어.

화산재가
태양 빛을 가려.

용암이 흘러
산불이 나.

정답

2 다음에 나타낸 화산 분출물의 상태에 따라 색깔을 다르게 칠해 그림을 완성해 보세요. (단, 1은 '용암', 2는 '화산 가스', 3은 '화산재'를 나타냅니다.)

화산 분출물의 상태	고체	액체	기체
색깔	초록색	분홍색	노란색

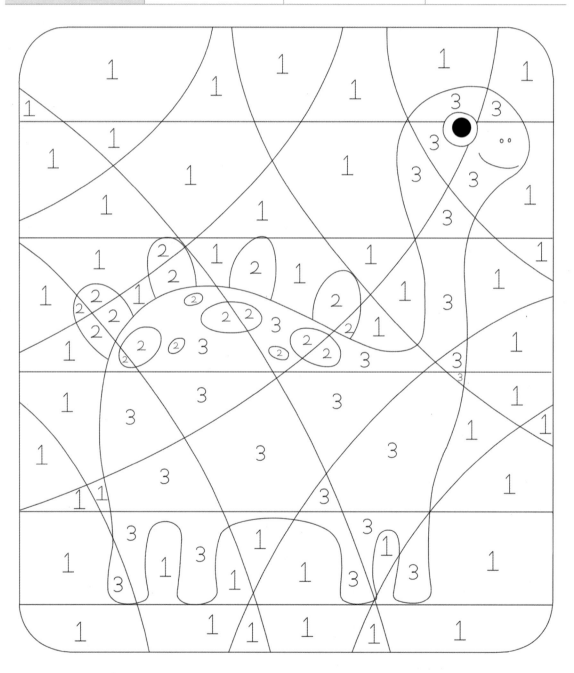

지진이 발생하기 전에 준비해야 할 비상 용품에는 어떤 것이 있는지 알아봅니다.

3 다음 빙고판에서 지진 발생에 대비해 준비해야 할 비상 용품으로 옳은 것에 모두 ○표를 하면 가로, 세로, 대각선 중 한 줄을 모두 동그라미로 채운 줄은 몇 개 나타나는지 쓰세요.

화장지	게임기	세탁기	구두
양복	구급약	유리 그릇	선풍기
물티슈	라면	라디오	손전등과 건전지
장난감	물감과 붓	인형	물

정답

논리 탄탄

코딩을 통해 화성암에는 무엇이 있는지 알아봅니다.

4 다음 코딩 명령어를 보고 버리가 있는 칸에서부터 코딩을 실행했을 때 버리가 화성암에 해당하는 칸을 몇 개 지나는지 쓰세요.

[코딩 명령어]

↓ 아래로 한 칸 이동   ↑ 위로 한 칸 이동

← 왼쪽으로 한 칸 이동   → 오른쪽으로 한 칸 이동

[코딩 실행 순서]

↓ → → → ↓ → ↓ → → → ↑

정답

• 똑똑한 하루 과학

코딩을 통해 지진의 세기를 나타내는 규모를 알아봅니다.

5 지진의 규모를 나타내는 카드의 숫자를 보고 다음의 규칙에 따라 숫자의 순서대로 놀이판에 색칠을 했을 때 나타나는 알파벳 대문자는 무엇인지 쓰세요. (단, 각 카드에 쓰인 지진의 규모는 소수점은 빼고 나타낸 것입니다.)

[규칙]
규모 5보다 약한 지진을 나타내는 칸은 색칠하지 않고, 규모 5보다 강한 지진을 나타내는 칸은 색칠합니다.

[예시]

규모 5보다 강한 지진을 나타내므로 색칠을 합니다.

| 6 | 7 | 3 | 8 | 1 | 2 |

6 7 3 8 1 2

규모 5보다 약한 지진을 나타내므로 색칠하지 않습니다.

카드

| 4 | 8 | 7 | 6 | 7 | 1 |

| 3 | 6 | 4 | 2 | 1 | 2 |

| 1 | 6 | 8 | 6 | 7 | 3 |

| 2 | 8 | 1 | 2 | 1 | 3 |

| 3 | 8 | 6 | 6 | 7 | 1 |

놀이판

정답

여러 가지 **실험** 기구

▲ 알코올램프

▲ 돋보기

▲ 전자저울

▲ 삼발이

▲ 보안경

▲ 점화기

매일 조금씩 **공부력** UP

똑똑한 하루
독해&어휘

쉽다!

10분이면 하루치 공부를 마칠 수 있는
커리큘럼으로, 아이들이 쉽고 재미있게
독해&어휘에 접근할 수 있도록 구성

재미있다!

교과서는 물론 생활 속에서 쉽게
접할 수 있는 다양한 소재를 활용해
흥미로운 학습 유도

똑똑하다!

초등학생에게 꼭 필요한 상식과 함께
창의적 사고력 확장을 돕는
게임 형식의 구성으로 독해력&어휘력 학습

공부의 핵심은 독해!
예비초~초6 / 총 6단계, 12권

독해의 시작은 어휘!
예비초~초6 / 총 6단계, 6권

✄ 쉽다!

10분이면 하루치 공부를 마칠 수 있는 커리큘럼으로,
아이들이 초등 학습에 쉽고 재미있게 접근할 수 있도록 구성하였습니다.

♟ 재미있다!

교과서는 물론 생활 속에서 쉽게 접할 수 있는 다양한 소재와
재미있는 게임 형식의 문제로 흥미로운 학습이 가능합니다.

📖 똑똑하다!

초등학생에게 꼭 필요한 학습 지식 습득은 물론
창의력 확장까지 가능한 교재로 올바른 공부습관을 가지는 데 도움을 줍니다.

정답과 풀이

똑똑한
하루
과학

4-2

천재교육

1주 식물의 생활

1일 잎의 생김새에 따른 분류

13쪽 개념 체크

1 모양   **2** 토끼풀   **3** 기준

14~15쪽 개념 확인하기

1 (1) ㄴ (2) ㄹ (3) ㄱ (4) ㄷ   **2** ①
3 (1) ❶ ㄱ, ㄷ, ㅂ ❷ ㄴ, ㄹ (2) ❶ ㄱ, ㄹ, ㅂ ❷ ㄴ, ㄷ, ㅁ
   (3) ❶ ㄴ, ㄷ ❷ ㄱ, ㄹ, ㅁ

집중 연습 문제

4 (1) ○ (2) ○ (3) × (4) ○

풀이

1 채집한 잎을 흰 종이 위에 올려놓고 잎의 외형적인 생김새를 중심으로 전체적인 모양을 먼저 관찰합니다.

2 토끼풀의 잎은 한곳에 세 개씩 나고, 잎의 끝은 둥급니다. 또 잎의 가장자리는 톱니 모양입니다.

3 잎의 생김새를 관찰하여 잎의 개수에 따라 잎이 한 개인 것과 여러 개인 것, 잎의 가장자리 모양에 따라 톱니 모양인 것과 톱니 모양이 아닌 것, 잎의 전체적인 모양에 따라 길쭉한 것과 길쭉하지 않은 것으로 분류합니다.

4 '잎의 아름다움'은 사람마다 '아름답다'의 기준이 다르기 때문에 분류 기준으로 적합하지 않습니다. 잎을 분류하는 기준에는 전체적인 모양, 끝 모양, 개수, 가장자리 모양 등이 있습니다.

2일 들이나 산에서 사는 식물

19쪽 개념 체크

1 풀, 나무   **2** 풀, 나무   **3** 한해, 여러해

20~21쪽 개념 확인하기

1 들, 산   **2** ③   **3** ❶ 풀 ❷ 나무
4 ③, ④
5 (1) ○ (2) ○ (3) × (4) × (5) ○ (6) ○

똑똑한 하루 퀴즈

6

줄	여	뿌	☀
기	러	☀	리
한	해	살	이
☀	살	열	매
풀	이	나	무

❶ 나무
❷ 한해살이
❸ 여러해살이
❹ 뿌리

풀이

1 들은 편평하게 트인 땅으로 논이나 밭과 같은 곳을 말하고, 산은 일반 평지보다 높이 솟은 곳을 말합니다.

2 산이나 들에서 사는 식물인 민들레의 특징입니다.

3 명아주, 토끼풀, 강아지풀은 풀이고, 소나무, 밤나무, 떡갈나무, 단풍나무는 나무입니다.

4 풀은 대부분 한해살이 식물이지만 나무는 모두 여러해살이 식물입니다.

5 풀은 대부분 겨울철에 줄기를 볼 수 없습니다. 풀과 나무는 대부분 땅에 뿌리를 내리며, 잎과 줄기가 잘 구분됩니다.

6 ❶ 나무는 줄기가 단단하고 여러 해 동안 살며, 한 해가 지날 때마다 조금씩 자랍니다.
❷ 한해살이 식물은 일 년 동안 싹이 터서 자라고 꽃이 피고 열매를 맺은 다음 죽습니다.
❸ 여러해살이 식물은 여러 해 동안 살아가는 식물입니다.
❹ 풀과 나무는 뿌리, 줄기, 잎이 있습니다.

3일 강이나 연못에서 사는 식물

25쪽 개념 체크

1 연못   **2** 뿌리   **3** 공기

1 물수세미, 나사말, 검정말 **2** 연꽃, 부들, 창포
3 (1) ◯ (2) ✕ (3) ✕ **4** ❶ 개구리밥, 물상추, 부레
옥잠, 수련, 가래, 마름, 연꽃, 부들, 창포 ❷ 물수세미, 나사말,
검정말 **5** ①, ② **6** 예 공기주머니

집중 연습 문제

7 (1) ㉡ (2) ㉠ (3) ㉢

풀이

1 물수세미, 나사말, 검정말은 물속에 잠겨서 사는
식물입니다.

2 연꽃, 부들, 창포는 잎이 물 위로 높이 자라는 식물
입니다.

3 마름의 잎은 마름모 모양이고, 뿌리는 물속의 땅에
있습니다. 부들은 잎이 물 위로 높이 자라고, 뿌리
는 물속이나 물가의 땅에 있습니다.

4 강이나 연못에 사는 식물의 특징에 따라 기준을 정
해 분류할 수 있습니다.

5 부레옥잠의 뿌리는 수염처럼 생겼고 물속으로 뻗어
있습니다. 잎은 둥글고 잎자루가 볼록하게 부풀어
있으며, 잎자루에는 많은 공기를 저장하고 있습니다.

6 생물이 오랜 기간에 걸쳐 주변 환경에 적합하게 변
화되어 가는 것을 적응이라고 합니다.

7 • 물속에 잠겨서 사는 식물 : 물수세미, 나사말,
검정말
• 물에 떠서 사는 식물 : 개구리밥, 물상추, 부레옥잠
• 잎이 물에 떠 있는 식물 : 가래, 수련, 마름
• 잎이 물 위로 높이 자라는 식물 : 연꽃, 부들, 창포

4일 **사막에서 사는 식물 / 생활에서 식물을
활용한 예**

1 가시 **2** 줄기 **3** 도꼬마리

1 (1) ✕ (2) ◯ (3) ◯ **2** ② **3** 도기
4 물, 가시 **5** (1) ㉢ (2) ㉠ (3) ㉡

집중 연습 문제

6 (1) 줄기 (2) 잎 (3) 줄기

풀이

1 사막은 낮에 햇볕이 강해서 뜨겁습니다.

{ 더 알아보기 }
사막의 특징
• 낮과 밤의 온도 차가 큽니다.
• 비가 적게 오고 건조합니다.

2 다른 식물에서 볼 수 있는 모양의 잎이 없고 가시가
있습니다.

3 줄기를 자른 면에 화장지를 대면 물이 묻어 나오는
것으로 보아 줄기에 수분이 많음을 알 수 있습니다.

4 선인장의 굵은 줄기는 물을 저장하기에 좋고, 가시
모양의 잎은 동물로부터 선인장을 보호합니다.

5 다양한 식물의 특징을 활용한 생활용품이 많이 있
습니다.

식물	생활용품
▲ 도꼬마리 열매	▲ 찍찍이 테이프
▲ 단풍나무 열매	▲ 날개가 하나인 선풍기
▲ 연잎	▲ 물이 스며들지 않는 옷

6 사막에서 사는 식물의 생김새와 생활 방식은 사막
환경에 적응한 결과 생긴 특징입니다.

36~39쪽 마무리하기 문제

1 (1) 토끼풀 (2) 단풍나무 (3) 소나무   **2** ⑤

3 예 잎의 끝 모양이 뾰족한가? 등   **4** 떡갈나무

5 (1) ❶ 민들레, 명아주 ❷ 소나무, 떡갈나무 (2) 예 나무는
줄기가 풀보다 굵다. 나무는 풀보다 키가 크다. 등

6 ①, ②   **7** (1) ㄹ (2) ㄴ (3) ㄷ (4) ㄱ

8 ㄴ   **9** ②, ⑤   **10** (3) ○

똑똑한 하루 퀴즈

11

풀이

1 (1)은 토끼풀 잎, (2)는 단풍나무 잎, (3)은 소나무 잎
을 관찰한 내용입니다.

2 잎이 아름답다는 기준은 사람마다 다르기 때문에
분류 기준으로 적합하지 않습니다.

3 소나무, 강아지풀, 단풍나무의 잎의 끝 모양은 뾰
족하고, 토끼풀, 은행나무의 잎의 끝 모양은 뾰족
하지 않습니다.

4 떡갈나무의 특징입니다.

5 풀은 나무보다 키가 작고 줄기가 가늡니다. 나무는
키가 크고 줄기가 굵습니다.

> **인정 답안**
>
> (2) 풀과 나무의 줄기, 키 등의 생김새와 관련된 차이점을
> 비교하여 쓰면 정답으로 인정합니다.
>
> **인정 답안의 예**
>
> 풀은 줄기가 나무보다 가늘다. 풀은 나무보다 키가 작다. 등

6 나무는 모두 여러해살이 식물이고, 풀은 대부분
한해살이 식물입니다. 풀은 대부분 겨울철에 줄기를
볼 수 없습니다.

7 부들은 잎이 물 위로 높이 자라는 식물, 마름은 잎
이 물에 떠 있는 식물, 검정말은 물속에 잠겨서 사
는 식물, 부레옥잠은 물에 떠서 사는 식물입니다.

8 부레옥잠은 잎자루에 많은 공기를 저장하고 있어
물에 떠서 살 수 있습니다.

▲ 자른 부레옥잠의 잎자루를 물속에서 누를 때 공기 방울이 올라옴.

9 크고 두꺼운 잎에 물을 저장하는 특징이 있는 식물
은 용설란입니다.

10 연잎 – 물이 스며들지 않는 옷 / 단풍나무 열매 –
날개가 하나인 선풍기

11 ❶은 사막, ❷는 한해, ❸은 여러해, ❹는 적응,
❺는 도꼬마리입니다.

1주 | TEST＋특강

40~41쪽 누구나 100점 TEST

1 ❶ 강아지풀, 단풍나무 ❷ 소나무, 토끼풀   **2** ②

3 소나무, 나무   **4** ②   **5** ①

6 ①, ⑤   **7** ⑤   **8** ⑤   **9** 물

10 ㄷ

풀이

1 소나무 잎은 한곳에 두 개씩 뭉쳐나고, 토끼풀은
한곳에 세 개씩 납니다.

2 사람마다 '예쁘다'의 기준이 다르기 때문에 분류 기
준으로 적합하지 않습니다.

3 들이나 산에서 사는 식물인 소나무는 나무입니다.

4 나무는 풀보다 잎이 넓고 큰 것도 있고 그렇지 않은 것도 있습니다.

5 수련의 잎은 넓고 갈라져 있어서 물 위에 떠 있기 좋고 뿌리는 물속 땅에 있습니다.

6 부레옥잠은 잎자루에 있는 공기주머니의 공기 때문에 물에 떠서 살 수 있습니다.

7 사막에는 선인장, 용설란, 바오바브나무 등이 삽니다.

8 선인장은 굵은 줄기에 물을 저장합니다. 또 자른 면에 화장지를 대면 물이 묻어 나옵니다.

9 선인장은 가시가 있어 물이 필요한 다른 동물이 공격하는 것을 피할 수 있고 물의 증발을 막을 수 있습니다.

10 식물의 생김새를 활용해 여러 가지 생활용품을 만듭니다. 도꼬마리 열매의 생김새를 활용해 찍찍이 테이프를 만들었습니다.

43쪽　생활 속 과학 융합

풀이

❶ 강아지풀과 소나무는 들이나 산에서 사는 식물이고, 바오바브나무는 사막에서 사는 식물이며, 부레옥잠은 물에 떠서 삽니다.

44~45쪽　사고 쑥쑥 창의

❷ (1) ㉡　(2) ㉢　(3) ㉠

❸

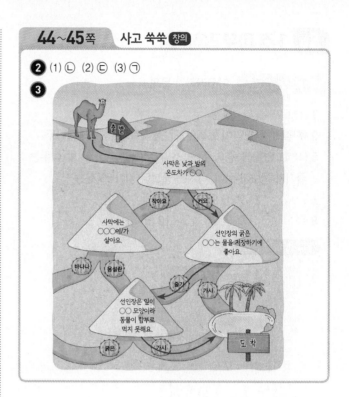

풀이

❷ 물에 떠 있는 부레옥잠의 뿌리는 수염처럼 생겼고, 물속 나사말은 줄기가 잘 휘어지며 뿌리는 물속 땅에 있습니다. 잎이 물 위로 높이 자라는 부들은 줄기가 단단하고 뿌리는 물가나 물속 땅에 있습니다.

46~47쪽　논리 탄탄 코딩

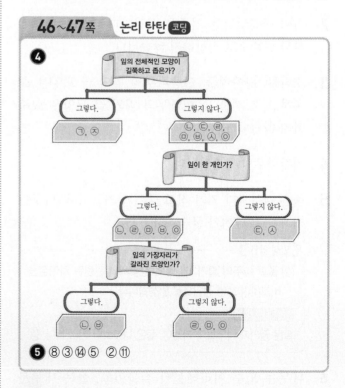

❺ ⑧③⑭⑤　②⑪

풀이

❺ 찍찍이 테이프는 도꼬마리 열매 특징을 활용하였습니다.

1일 물이 얼거나 얼음이 녹을 때

55쪽 개념 체크

1 얼음　　**2** 무게　　**3** 부피

56~57쪽 개념 확인하기

1 (1) ⓒ (2) ㉠　　**2** (2) ○　　**3** 기체
4 ⑩ 변하지 않는다　　**5** >　　**6** ②

똑똑한 하루 퀴즈

7

물	✹	부	얼
✹	수	음	피
무	액	증	✹
게	✹	체	기

❶ 얼음
❷ 수증기
❸ 무게

풀이

1 얼음은 차갑고 단단하며, 물은 흐르고 일정한 모양이 없습니다.

2 얼음을 손바닥 위에 올려놓으면 녹아서 물이 됩니다.

(왜 틀렸을까?)
(1) 얼음이 녹아서 점점 작아집니다.
(3) 얼음의 색깔은 변하지 않습니다.

3 물의 기체 상태인 수증기에 대한 설명입니다. 수증기는 눈에 보이지 않고, 일정한 모양이 없습니다.

4 물이 얼면 부피는 늘어나지만 무게는 변하지 않습니다.

5 얼음이 녹으면 부피가 줄어들므로 녹았을 때 물의 높이가 더 낮습니다.

6 얼음이 녹으면 부피가 줄어들기 때문에 물의 높이가 낮아지지만 무게는 변하지 않습니다.

7 ❶ 얼음은 모양은 일정하고 단단합니다.
❷ 물의 기체 상태는 수증기입니다.
❸ 얼음이 녹아 물이 되면 부피는 줄어들지만 무게는 변하지 않습니다.

61쪽 개념 체크

1 표면　　**2** 물속　　**3** 수증기

62~63쪽 개념 확인하기

1 (1) ㉠ (2) ⓒ　　**2** ㉠ ⑩ 표면 ⓒ 수증기
3 (2) ○　　**4** ⓒ　　**5** 지호

똑똑한 하루 퀴즈

6

속	✹	증	고
✹	액	기	발
끓	체	포	✹
음	✹	표	면

❶ 증발 ❷ 끓음 ❸ 기포

풀이

1 식품 건조기에 넣은 사과 조각은 표면이 쭈글쭈글하며 지퍼 백에 넣은 사과 조각보다 크기가 작습니다.

2 증발은 액체 표면에서 액체가 기체로 상태가 변하는 현상입니다.

3 물이 끓으면 물 표면과 물속에서 물이 수증기로 변하므로 물의 양이 줄어들어 물의 높이가 낮아집니다.

(왜 틀렸을까?)
(1) 물의 양이 줄어듭니다.
(3) 물이 끓으면 큰 기포가 많이 생기고, 물 표면이 울퉁불퉁해집니다.

4 물을 가열하여 끓이면 물의 표면뿐만 아니라 물속에서도 물이 기체인 수증기로 상태가 변합니다.

5 젖은 머리카락이 마르는 것은 증발 현상입니다.

6 ❶ 물 표면에서 물이 수증기로 상태가 변하는 것은 증발입니다.
❷ 물 표면과 물속에서 물이 수증기로 상태가 변하는 것은 끓음입니다.
❸ 물이 끓을 때에는 큰 기포가 연속하여 많이 생깁니다.

3일 응결 / 물의 상태 변화 이용

67쪽 개념 체크

1 무겁	2 응결	3 있

68~69쪽 개념 확인하기

1 ③   2 ㉢   3 ㉠ 수증기 ㉡ 물
4 (3) ○   5 ㉡

집중 연습 문제

6 ③, ④
① 물 ➡ 수증기
② 물 ➡ 수증기
③ 물 ➡ 얼음
④ 물 ➡ 얼음
⑤ 물 ➡ 수증기

7 물, 수증기

풀이

1 시간이 지나면 플라스틱 컵 표면에 물방울이 생깁니다.

2 플라스틱 컵의 무게는 처음 300 g에서 컵 표면에 생긴 물방울의 무게만큼 늘어나므로, 300 g보다 무거워집니다.

3 차가운 플라스틱 컵 표면에 맺힌 물방울은 공기 중의 수증기가 물로 상태가 변한 것입니다.

4 응결은 기체인 수증기가 액체인 물로 상태가 변하는 것을 말합니다.

5 추운 날 유리창 안쪽에 맺힌 물방울, 맑은 날 아침 거미줄에 맺힌 물방울은 모두 응결의 예입니다. 고추를 말리면 쭈글쭈글해지는 것은 고추 속의 물이 증발했기 때문입니다.

6 인공 눈 만들기는 물이 얼음으로 상태가 변하는 것을 이용한 것으로, 얼음과자나 얼음 작품도 같은 원리로 만듭니다.

왜 틀렸을까?
음식 찌기, 가습기 이용하기, 스팀 청소기로 바닥 닦기는 물이 수증기로 상태가 변하는 것을 이용한 것입니다.

7 스팀다리미는 물이 수증기로 상태가 변하는 것을 이용한 것입니다.

4일 물의 여행

73쪽 개념 체크

1 순환	2 높이	3 빗물

그림으로 보는 개념

74쪽 개념 체크

1 순환	2 수증기	3 바다

75쪽 개념 체크

1 얼음	2 전기	3 관광

76~77쪽 개념 확인하기

1 ㉢   2 =   3 ②
4 ㉠ 예 떨어 ㉡ 높이   5 (3) ○   6 ㉡

똑똑한 하루 퀴즈

7

표		절	수
	고	력	발
전	순	상	
기		환	태

❶ 순환
❷ 전기
❸ 절수

풀이

1 컵 안의 물의 양은 줄고, 지퍼 백 안쪽에 맺힌 물방울이 흘러내립니다.

2 지퍼 백 안에서 물의 순환이 일어나지만 지퍼 백 입구를 막아 두었기 때문에 물의 전체 양은 변하지 않습니다.

3 목이 마를 때, 얼음을 이용할 때, 농작물을 키울 때, 주변을 깨끗이 할 때는 모두 물을 이용합니다.

4 물이 떨어지는 높이 차이를 이용해서 전기를 만드는 것을 수력 발전이라고 합니다.

5 산업의 발달과 인구의 증가로 물 이용량이 늘고, 물이 오염되어 이용할 수 있는 깨끗한 물이 줄어들고 있습니다.

6 물을 절약하기 위해서는 샴푸를 많이 사용하지 않아야 합니다.

7 ❶ 물의 상태가 변하면서 끊임없이 돌고 도는 현상을 물의 순환이라고 합니다.
❷ 물이 떨어지는 높이 차이를 이용해 전기를 만듭니다.
❸ 설거지할 때나 목욕할 때 물을 계속 틀어 놓지 않도록 절수 발판을 설치합니다.

5일 2주 마무리하기

80~83쪽 마무리하기 문제

1 ② **2** 25.0 **3** 영일 **4** (3) ○
5 예 ㉠ 물속 ㉡ 수증기 **6** ㉡ **7** ⑤
8 예 기체인 수증기가 액체인 물로 상태가 변한다.
9 ③ **10** 상태, 변하지 않습니다
11 (1) ㉠ (2) ㉡ **12** 수현

똑똑한 하루 퀴즈

13

❶수	❷증	기		❹얼
	발	❸끓	음	
	❺가	습	❻기	
			후	

풀이

1 물을 얼리면 부피가 늘어나기 때문에 플라스틱 시험관의 물의 높이가 높아집니다.

2 물이 얼기 전과 언 후의 무게는 변하지 않습니다.

3 얼음과자가 녹으면서 부피가 줄어들기 때문에 용기 안에 빈 공간이 생깁니다.

4 증발은 액체 표면에서 액체가 기체로 변하는 현상입니다.

5 물의 끓음은 물의 표면과 물속에서 물이 수증기로 상태가 변하는 현상입니다.

6 김치찌개가 끓는 것은 끓음과 관련된 예입니다.

7 공기 중의 수증기가 응결해 차가운 플라스틱 컵 표면에서 물방울로 맺힙니다.

8 응결은 기체인 수증기가 액체인 물로 상태가 변하는 현상입니다.

(인정 답안)

수증기가 물로 상태가 변한다는 내용을 옳게 표현했으면 정답으로 인정합니다.

인정 답안의 예
• 기체인 수증기가 액체인 물로 변한다.
• 수증기가 물로 상태 변화한다. 등

9 이글루 만들기는 물이 얼음으로 상태가 변화된 예입니다.

10 물의 상태가 변하면서 끊임없이 돌고 도는 과정을 물의 순환이라고 하며, 물이 순환해도 지구 전체 물의 양은 변하지 않습니다.

11 물을 마셔 생명을 유지하고, 흐르는 물이 만든 다양한 지형을 관광 자원으로 이용합니다.

12 사람들이 물을 아껴 쓰지 않아서 물의 양이 점점 줄어듭니다.

13 ❶은 수증기, ❷는 증발, ❸은 끓음, ❹는 얼음, ❺는 가습기, ❻은 기후입니다.

2주 | TEST + 특강

84~85쪽 누구나 100점 TEST

1 ㉡ **2** = **3** 물(액체), 수증기(기체)
4 ⑤ **5** ㉡ **6** ③ **7** ㉠, ㉢
8 (2) ○ **9** ① **10** ㉡

풀이

1 얼음이 녹아 물이 되면 부피가 줄어들므로 물의 높이가 낮아집니다.

2 물이 얼면서 부피가 늘어나지만 무게는 변하지 않습니다.

3 사과 안의 물이 수증기로 변해 공기 중으로 흩어지면서 사과 안의 물이 말라 사과 조각의 크기가 작아집니다.

4 물이 끓으면 액체인 물이 기체인 수증기로 변해 공기 중으로 흩어지므로 물의 양이 줄어듭니다.

5 시간이 지나면서 공기 중의 수증기가 물이 되어 차가운 플라스틱 컵 표면에 맺히기 때문에 ㉡의 무게가 더 무겁습니다.

6 맑은 날 아침 거미줄에 맺힌 물방울은 공기 중의 수증기가 응결해 물방울로 변한 것입니다.

7 음식을 찔 때, 스팀다리미로 다림질할 때는 물이 수증기로 상태가 변화된 예를 이용한 것입니다.

8 물은 땅 위, 공기 중, 바다 등 지구 곳곳을 순환합니다.

9 버스를 탈 때는 물을 이용하지 않습니다.

10 세수할 때 물을 계속 틀어놓지 않습니다.

87쪽   생활 속 과학 융합

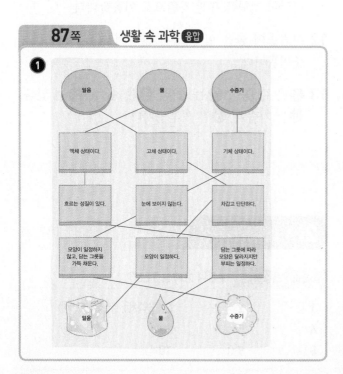

풀이

❶ 얼음은 고체 상태로 차갑고 단단하며 모양이 일정합니다. 물은 액체 상태로 흐르는 성질이 있고, 담는 그릇에 따라 모양은 달라지지만 부피는 일정합니다. 수증기는 기체 상태로 눈에 보이지 않으며 모양이 일정하지 않고, 담는 그릇을 가득 채웁니다.

88~89쪽   사고 쑥쑥 창의

❷ 빨간색 칸 : ㉡, 파란색 칸 : ㉣,
   노란색 칸 : ㉠, ㉑, 초록색 칸 : ㉢, ㉤

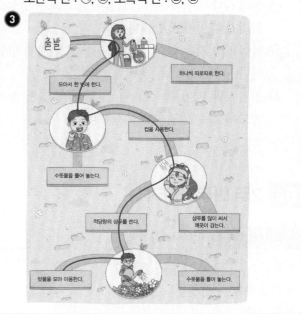

풀이

❷ ㉠, ㉑은 물 → 수증기, ㉡는 물 → 얼음, ㉢, ㉤은 수증기 → 물, ㉣는 얼음 → 물로 상태가 변하는 현상입니다.

90~91쪽   논리 탄탄 코딩

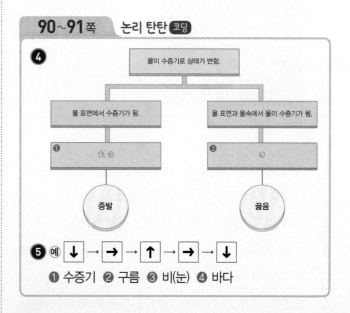

풀이

❹ ❶은 증발 현상이고, ❷는 끓음 현상입니다.

❺ 수증기가 증발하여 하늘로 올라가면 구름이 되고, 다시 눈이나 비가 되어 내립니다.

3주 그림자와 거울

1일 그림자

99쪽 개념 체크

1 뒤쪽	2 통과	3 방향

100~101쪽 개념 확인하기

1 ①, ③ 2 ⓒ 3 (1) ⓒ (2) ⑦
4 ⑦ 도자기 컵 ⓒ 유리컵 5 ① 6 (1) × (2) ○

똑똑한 하루 퀴즈

6

빛	✲	사	방
직	유	✲	도
진	✲	리	자
✲	진	하	기

❶ 유리
❷ 진하기
❸ 직진

풀이

1 흰 종이에 공의 그림자가 생기게 하려면 공과 손전등이 필요합니다.

2 손전등 – 물체 – 스크린 순서로 놓을 때 그림자가 생깁니다.

3 스크린에 진한 도자기 컵의 그림자와 연한 유리컵의 그림자가 각각 생깁니다.

4 도자기 컵은 빛이 물체를 통과하지 못해 진한 그림자가 생기고, 유리컵은 빛이 물체를 통과해 연한 그림자가 생깁니다.

5 빛이 직진하므로 ㄱ자 모양 블록과 스크린에 생긴 그림자 모양이 비슷합니다.

6 물체를 놓는 방향이 달라지면 그림자 모양이 달라지기도 합니다.

7 ❶ 유리와 같이 투명한 물체를 만나면 빛이 대부분 통과합니다.
❷ 빛이 물체를 통과하는 정도에 따라 그림자의 진하기가 달라집니다.
❸ 빛이 곧게 나아가는 성질을 빛의 직진이라고 합니다.

2일 그림자의 크기 변화

105쪽 개념 체크

1 손전등	2 작아	3 거리

106~107쪽 개념 확인하기

1 ④ 2 ⓒ 3 ⑦ 4 예 커진다.
5 ⑤

집중 연습 문제

6 손전등 7 (1) ○ (2) ×   • 커
• 작아

풀이

1 손전등을 동물 모양 종이에 가깝게 하면 그림자의 크기가 커집니다.

2 물체와 스크린을 그대로 두고 손전등을 물체에서 멀게 하면 그림자의 크기가 작아집니다.

3 스크린과 손전등을 그대로 두고 물체를 손전등에서 멀게 하면 그림자의 크기가 작아집니다.

4 스크린과 손전등을 그대로 두고 물체를 손전등에 가깝게 하면 그림자의 크기가 커집니다.

5 손전등과 물체 사이의 거리에 따라 그림자의 크기가 달라집니다.

6 손전등의 위치를 변화시켜 그림자의 크기를 조절할 수 있습니다.

7 스크린과 손전등을 그대로 두고 물체와 손전등 사이의 거리를 멀게 하면 그림자의 크기는 작아집니다.

3일 거울의 성질

111쪽 개념 체크

1 같습	2 거울	3 방향

정답과 풀이

1 진서 **2** ③ **3** (1) ㉡ (2) ㉡ (3) ㉠
4 ㉠ **5** 반사

똑똑한 하루 퀴즈

6

다	름	거	울
같	●	방	향
음	좌	●	상
●	공	우	하

❶ 같음
❷ 좌우
❸ 거울

풀이

1 실제 고양이와 거울에 비친 고양이의 위로 올린 다리의 위치는 서로 반대입니다.

2 거울에 비친 물체의 모습은 실제 물체의 모습과 좌우만 바뀌어 보입니다.

3 거울에 비친 물체의 색깔은 실제 물체의 색깔과 같습니다. 거울에 비친 물체의 모습과 실제 물체의 모습은 상하는 바뀌어 보이지 않지만 좌우는 바뀌어 보입니다.

4 손전등의 빛이 거울에 부딪치면 거울에서 빛의 방향이 바뀝니다.

5 빛이 나아가다가 거울에 부딪쳐서 빛의 방향이 바뀌는 것을 빛의 반사라고 합니다.

6 ❶ 거울에 비친 물체의 색깔은 실제 물체와 같습니다.
❷ 거울에 비친 물체의 모습은 실제 물체의 모습과 좌우가 바뀌어 보입니다.
❸ 빛이 나아가다가 거울에 부딪치면 빛의 방향이 바뀝니다.

4일 거울의 이용

1 세면대 **2** 만화경 **3** 거울

1 ② **2** ㉠ **3** 거울 **4** 세(3)
5 ① **6** (1) ○

똑똑한 하루 퀴즈

6

●	미	뒤	앞
편	용	●	쪽
좁	실	거	울
아	●	넓	어

❶ 미용실 ❷ 뒤쪽 ❸ 넓어 ❹ 거울

풀이

1 무용실 거울로 무용하는 자신의 모습을 볼 수 있습니다. 세수나 양치할 때, 미용실에서 머리 모양을 보거나 옷 가게에서 옷맵시를 볼 때에도 거울을 이용합니다.

2 자동차 뒷거울은 운전자가 뒤를 돌아보지 않고도 뒤에 오는 자동차를 확인할 수 있게 합니다.

{ 왜 틀렸을까? }
승강기 안 거울은 자신의 모습을 볼 수 있고, 공간을 넓어 보이게 할 수 있습니다.

3 우리 생활에서 거울의 쓰임새에 대한 설명입니다.

4 세 개의 거울로 삼각형기둥을 만들고 색종이 조각을 넣어 만화경을 완성합니다.

5 거울 세 개로 만든 장난감은 거울과 거울 사이에 물체를 놓고 물체를 여러 개로 보이게 합니다.

6 착시 거울, 무한 거울 등은 거울이 빛을 반사하는 성질을 이용해 만든 장난감입니다.

7 ❶ 미용실 거울로 자신의 머리 모양을 볼 수 있습니다.
❷ 자동차 뒷거울을 이용하면 뒤쪽에서 오는 자동차를 확인할 수 있습니다.
❸ 승강기 안 거울은 내부 공간이 넓어 보이는 효과를 줍니다.
❹ 만화경은 아크릴 거울 세 개를 뒤집어 나란히 놓고 붙이고 밑면이 삼각형인 기둥을 만든 다음, 색종이 조각을 넣어 만든 것입니다.

122~125쪽 마무리하기 문제

1 ⑤   　　　**2** (1) – ⓒ – ⓓ (2) – ㉠ – ㉮
3 ㉠, ㉡   　　**4** (1) ○ (2) ○ (3) ×
5 예 빛이 직진하기 때문이다. **6** ㉠ 커 ㉡ 작아
7 ㉠   　　**8** ③   　　**9** ④   　　**10** 거울
11 수빈   　**12** 만화경

똑똑한 하루 퀴즈

풀이

1 구름이 햇빛을 가리면 물체 주변에 생긴 그림자가 사라집니다.

2 도자기 컵과 같이 불투명한 물체는 빛이 물체를 통과하지 못해 진한 그림자가 생기고, 유리컵과 같이 투명한 물체는 빛이 대부분 물체를 통과해 연한 그림자가 생깁니다.

3 책, 그늘막과 같은 불투명한 물체를 만나면 빛이 통과하지 못하고, 무색 비닐, OHP 필름과 같은 투명한 물체를 만나면 빛이 대부분 통과합니다.

4 그림자의 진하기는 빛이 물체를 통과하는 정도에 따라 달라집니다.

5 빛이 직진하기 때문에 물체의 모양과 그림자 모양이 비슷합니다.

（ 인정 답안 ）

빛이 직진한다는 내용을 옳게 표현했으면 정답으로 인정합니다.

인정 답안의 예

• 빛이 직진하기 때문이다.
• 빛이 곧게 나아가기 때문이다. 등

6 물체와 스크린을 그대로 두고 손전등과 물체 사이의 거리가 가까우면 그림자의 크기가 커지고, 손전등과 물체 사이의 거리가 멀면 그림자의 크기가 작아집니다.

7 거울에 비친 칫솔을 든 팔의 위치는 실제 모습과 반대입니다.

8 거울에 비친 물체의 모습은 실제 물체의 모습과 좌우만 바뀌어 보입니다.

9 빛이 나아가다가 거울에 부딪치면 거울에서 빛의 방향이 바뀝니다.

10 거울은 빛의 반사를 이용해 물체의 모습을 비추는 도구입니다.

11 승강기 안 거울은 자신의 모습을 볼 때 이용하고, 공간을 넓어 보이게 합니다.

12 거울 세 개로 만든 삼각형기둥의 만화경으로 여러 가지 모양의 무늬를 볼 수 있습니다.

13 ①은 그림자, ②는 직진, ③은 진하기, ④는 도자기, ⑤는 거울, ⑥은 거리입니다.

3주 | TEST＋특강

126~127쪽 누구나 100점 TEST

1 (1) ○   　**2** ⑤   　　**3** 해담   　**4** ②
5 (1) ⓒ (2) ㉠   　　　**6** ⓒ
7 ㉠ 예 거울 ⓒ 예 방향   **8** ③   　**9** ②, ④
10 예 빛을 반사하는 성질

풀이

1 그림자가 생기려면 물체에 빛을 비춰야 하므로 손전등 – 물체(공) – 스크린(흰 종이) 순서로 놓습니다.

2 빛은 OHP 필름과 같은 투명한 물체를 대부분 통과합니다.

3 빛이 나아가다가 물체에 막혀 통과하지 못하면 그림자가 생깁니다.

4 빛이 직진하기 때문에 물체 모양과 그림자 모양이 비슷합니다.

「왜 틀렸을까?」

ⓒ 물체를 놓는 방향이 달라지면 그림자 모양이 달라지기도 합니다.

ⓔ 직진하는 빛이 물체를 통과하지 못하면 물체 모양과 비슷한 그림자가 생깁니다.

5 물체와 스크린을 그대로 두고 손전등을 물체에 가깝게 하면 그림자의 크기가 커지고, 손전등을 물체에서 멀게 하면 그림자의 크기가 작아집니다.

6 거울에 비친 글자는 실제 글자와 좌우만 바뀌어 보입니다.

7 버스 운전기사는 버스 뒷거울을 사용해 빛의 방향을 바꿀 수 있기 때문에 뒤에 있는 승객의 모습을 볼 수 있습니다.

8 빛이 나아가다가 거울에 부딪쳐서 빛의 방향이 바뀌는 것을 빛의 반사라고 합니다.

9 미용실 거울로 자신의 머리 모양을 볼 수 있고, 편의점 거울로 넓은 곳을 한눈에 볼 수 있습니다.

10 만화경, 거울 세 개로 만든 장난감은 모두 거울이 빛을 반사하는 성질을 이용해 만든 것입니다.

129쪽 생활 속 과학 융합

「풀이」

① 우리 생활에서 거울을 이용하는 예는 다양합니다.

130~131쪽 사고 쑥쑥 창의

② (1) ㉠ (2) ㉢ (3) ㉡

「풀이」

② 빛이 곧게 나아가는 성질은 빛의 직진, 빛이 나아가다가 거울에 부딪치면 거울에서 빛의 방향이 바뀌는 성질은 빛의 반사입니다. 그림자는 빛이 나아가다 물체에 막히면 물체 뒤에 생기는 빛이 도달하지 못하는 부분입니다.

③ 물체를 놓는 방향이 달라지면 그림자 모양이 달라지기도 합니다.

132~133쪽 논리 탄탄 코딩

④ 튜브

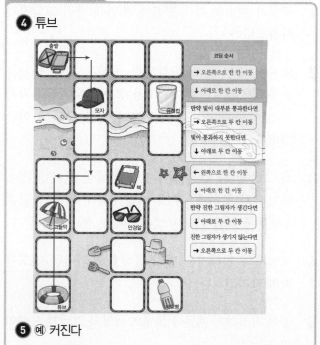

⑤ 예 커진다

「풀이」

④ 모자와 그늘막은 불투명한 물체로 빛이 통과하지 못하고 진한 그림자가 생깁니다.

⑤ 물체와 스크린을 그대로 두었을 때 손전등을 물체에 가깝게 하면 그림자의 크기가 커집니다.

4주 화산과 지진

1일 화산 활동

141쪽 개념 체크

1 화산   2 분화구   3 고체

142~143쪽 개념 확인하기

1 ⑤   2 분화구   3 ㉡   4 ㉡
5 ③

집중 연습 문제

6 (1) 예 액체
7 (1) ㉡ (2) ㉢ (3) ㉠

풀이

1 한라산은 화산으로 산꼭대기에 화산 호수(백록담)가 있습니다.

2 화산이 아닌 산은 산꼭대기에 분화구가 없습니다.

3 백두산은 우리나라의 화산입니다.

4 화산에는 마그마가 분출한 흔적이 있습니다.

5 화산 분출물 중에서 용암은 액체, 화산재와 화산 암석 조각은 고체, 화산 가스는 기체입니다.

6 화산 분출 모형실험의 결과 알루미늄 포일이 들썩거리고, 윗부분에서 연기가 피어오르며 액체인 마시멜로가 흘러나오고 굳습니다.

7 화산 분출 모형실험의 연기는 화산 가스, 굳은 마시멜로는 화산 암석 조각, 흐르는 마시멜로는 용암을 나타냅니다.

2일 현무암과 화강암

147쪽 개념 체크

1 마그마   2 화강암   3 화산재

148~149쪽 개념 확인하기

1 ④   2 (1) ㉡ (2) ㉠   3 (1) 현 (2) 현 (3) 화
4 예 화산재   5 ④   6 땅속의 높은 열

똑똑한 하루 퀴즈

7

강	☀	중	☀
☀	화	력	현
지	포	성	무
열	☀	이	암

① 화성암
② 현무암
③ 지열

풀이

1 마그마의 활동으로 만들어진 암석은 화성암입니다.

2 현무암은 색깔이 어둡고, 화강암은 대체로 밝은 바탕에 검은색 알갱이가 보입니다.

3 마그마가 지표 가까이에서 빠르게 식어서 만들어져 알갱이가 매우 작고 색깔이 어두운 것은 현무암입니다. 석굴암이나 불국사의 돌계단은 화강암으로 만들어졌습니다.

▲ 불국사의 돌계단

4 화산재가 쌓여 기름진 땅에서 농사를 짓기도 합니다.

5 화산 활동을 관광지로 개발하여 이용하는 것은 화산 활동이 우리에게 주는 이로운 점입니다.

6 화산 주변의 땅속 높은 열을 온천, 지열 발전에 활용합니다.

7 ① 마그마의 활동으로 만들어진 암석은 화성암이라고 합니다.
② 제주도의 돌하르방을 이루는 암석은 현무암입니다.
③ 지열 발전은 땅속의 높은 열을 이용해 전기를 생산하는 것입니다.

정답과 풀이

3일 지진

쪽 개념 체크

1 땅   **2** 지진   **3** 규모

154~155쪽 개념 확인하기

1 (1) ○ (2) ×   **2** ㄹ
3 (1) ㄷ (2) ㄱ (3) ㄴ   **4** 예 규모
5 ⑤   **6** 라온

똑똑한 하루 퀴즈

7

화	산	✿	땅
지	✿	진	동
진	인	✿	자
✿	힘	명	석

① 지진
② 땅
③ 인명

풀이

1 우드록에 계속 힘을 주어 우드록이 끊어질 때 손에 떨림이 느껴집니다.

2 지진은 땅이 지구 내부에서 작용하는 힘을 받아 끊어지면서 발생합니다.

3 우드록은 땅, 양손으로 미는 힘은 지구 내부의 힘을 의미하고, 우드록이 끊어질 때 손에 전달되는 떨림은 땅이 끊어질 때 흔들리는 지진과 같습니다.

4 지진의 세기는 규모로 나타내며, 숫자가 클수록 강한 지진입니다.

5 지진 피해 사례에 대해 조사할 때에는 지진의 규모, 지진 발생 일시, 지진 발생 지역(위치), 지진 피해 내용 등을 조사합니다.

6 규모 5.0 이상의 지진은 피해를 입히는 진동입니다.

7 ① 땅이 지구 내부에서 작용하는 힘을 받아 끊어지면서 흔들리는 것을 지진이라고 합니다.
② 지진 발생 모형실험에 이용한 우드록은 실제 자연 현상에서 땅을 의미합니다.

③ 규모가 큰 지진이 발생하면 사람이 다치고 건물과 도로가 무너지는 등 인명 및 재산 피해가 생깁니다.

4일 지진이 발생했을 때 대처하는 방법

159쪽 개념 체크

1 높   **2** 계단   **3** 머리

160~161쪽 개념 확인하기

1 ④   **2** ㄱ, ㄷ   **3** (1) ○ (2) × (3) ×
4 ㄴ   **5** 예 부상자

똑똑한 하루 퀴즈

6

✿	캠	핑	대
비	운	✿	피
상	✿	동	✿
✿	계	단	장
재	안	내	✿
✿	승	강	기

① 비상
② 안내
③ 계단
④ 운동장
⑤ 대피

풀이

1 지진에 대비해 구급약품이나 물, 라디오 등의 생존에 필요한 물품들을 준비해 둡니다.

2 지진이 발생하기 전에 집 안에 있는 흔들리거나 떨어지기 쉬운 물건은 고정하고, 텔레비전이나 꽃병 등은 높은 곳에 두지 않습니다.

3 승강기 안에 있을 경우 모든 층의 버튼을 눌러 가장 먼저 열리는 층에서 내리고, 건물 밖에 있을 경우 머리를 보호하고 건물이나 벽 주변에서 떨어집니다.

4 ㄱ은 지진으로 흔들릴 때의 대처 방법입니다.

5 지진 발생 후 부상자를 확인해 응급 처치를 하거나 구조 요청을 하고, 재난 방송을 청취하며 올바른 정보에 따라 행동합니다.

1 ⓒ **2** ⑤ **3** ⓒ **4** ③

5 예 서서히 **6** ⓒ **7** ⓒ **8** 예 우드록은
땅, 양손으로 미는 힘은 지구 내부에서 작용하는 힘, 우드록
이 끊어질 때의 떨림은 지진에 해당한다. **9** ④

10 (1) × (2) ○ (3) ○ **11** ⓒ **12** 지수

똑똑한 하루 퀴즈

13

❶분	화	❷구		❸화
		멍		강
			❹용	암
❺❻지	열	발	전	
진				

풀이

1 한라산과 백두산은 마그마가 분출한 흔적이 있는
화산이고, 지리산은 화산이 아닙니다.

2 화산이 분출할 때 나오는 물질을 화산 분출물이라
고 합니다. 물 등에 의해 운반된 자갈, 모래, 진흙
등이 쌓인 것을 퇴적물이라고 하고, 퇴적물이 굳어
져 만들어진 암석을 퇴적암이라고 합니다. 화성암
은 마그마의 활동으로 만들어진 암석을 말합니다.

3 화산 가스는 기체 상태의 화산 분출물로, 대부분
수증기이며 여러 가지 기체가 섞여 있습니다.

4 현무암은 마그마가 지표 가까이에서 빠르게 식어
서 만들어지기 때문에 알갱이의 크기가 작습니다.

5 화강암은 마그마가 땅속 깊은 곳에서 서서히 식어
서 만들어지기 때문에 알갱이의 크기가 큽니다.

6 ㉠과 ㉡은 화산 활동이 주는 이로운 점입니다.

7 지진은 땅이 지구 내부에서 작용하는 힘을 받아 끊
어지면서 발생합니다.

8 지진 발생 모형실험에서 우드록은 짧은 시간 동안
손으로 가한 힘에 의해 끊어지지만, 실제 지진은
오랜 시간 동안 지구 내부의 힘이 축적되어 발생합
니다.

(인정 답안)

지진 발생 모형실험과 실제 지진을 비교하여 각 요소들이
의미하는 것을 예시 답안과 같은 내용을 쓰면 정답으로
인정합니다.

인정 답안의 예

우드록은 땅, 양손으로 미는 힘은 지구 내부의 힘, 우드록
이 끊어질 때의 떨림은 지진을 의미한다. 등

9 지진의 세기는 규모로 나타내며 규모의 숫자가 클
수록 강한 지진입니다.

10 지진 경보 시기가 빠를수록 피해가 작습니다.

11 지진이 발생한 경우에는 책상 아래로 들어가 머리
와 몸을 보호하고 책상 다리를 꼭 잡아야 합니다.

12 지진으로 인해 전기가 끊겨 승강기 안에 갇힐 수
있으므로 모든 층의 버튼을 눌러 가장 먼저 열리는
층에서 내려야 합니다.

13 ❶은 분화구, ❷는 구멍, ❸은 화강암, ❹는 용
암, ❺는 지열 발전, ❻은 지진입니다.

4주 | TEST + 특강

1 ㉠ 화산 ㉡ 마그마 **2** 준영

3 (1) ⓒ (2) ㉠ (3) ⓒ **4** ②, ④

5 (1) ㉠ (2) ㉡ **6** ② **7** ⓒ

8 ⑤ **9** ㉡ **10** (1) ○ (2) ○ (3) ×

풀이

1 화산은 땅속의 마그마가 분출하여 생긴 지형입니다.

2 화산은 생김새가 다양하고, 마그마가 분출한 흔적
이 있습니다.

3 화산 분출물에는 기체인 화산 가스, 액체인 용암,
고체인 화산재와 화산 암석 조각 등이 있습니다.

4 현무암은 색이 어둡고 알갱이의 크기가 작으며 표
면에 구멍이 있는 것도 있습니다. ①, ③, ⑤는 화강
암에 대한 설명입니다.

5 현무암은 마그마가 지표 가까이에서 빠르게 식어서, 화강암은 마그마가 땅속 깊은 곳에서 서서히 식어서 만들어집니다.

6 지열 발전으로 전기 생산, 온천이나 관광지 개발, 비옥한 땅에서 농사짓기 등은 화산 활동이 우리 생활에 주는 이로운 점입니다.

7 우드록이 끊어질 때의 떨림은 실제 땅이 끊어지면서 흔들리는 것, 즉 지진을 의미합니다.

8 최근 우리나라도 규모 5.0 이상의 지진이 발생해 피해를 입었습니다.

9 지진이 발생했을 때 누전에 의해 화재가 발생할 수 있으므로 전기를 차단합니다.

171쪽 생활 속 과학 융합

❶ 듬이

172~173쪽 사고 쑥쑥 창의

❷

❸ 2개

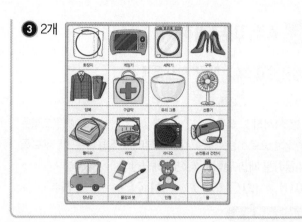

풀이

❷ 용암은 액체이므로 1번 칸은 분홍색으로, 화산 가스는 기체이므로 2번 칸은 노란색으로, 화산재는 고체이므로 3번 칸은 초록색으로 색칠해야 합니다.

❸ 지진이 발생하기 전에는 구급 약품이나 생존에 필요한 물품들을 준비해야 합니다.

174~175쪽 논리 탄탄 코딩

❹ 3개

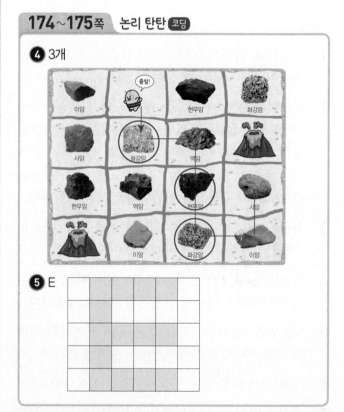

❺ E

풀이

❹ 코딩판에 있는 암석 중 현무암과 화강암이 마그마의 활동으로 만들어지는 화성암입니다.

❺ 지진의 세기는 규모로 나타내는데, 규모의 숫자가 클수록 강한 지진입니다.

정답은
이안에
있어!

기초 학습능력 강화 프로그램
매일 조금씩 공부력 UP!

하루 독해   하루 어휘   하루 글쓰기   하루 VOCA

하루 수학   하루 계산   하루 도형   하루 사고력

하루 사회   하루 과학

과목	교재 구성	과목	교재 구성
하루 수학	1~6학년 1·2학기 12권	하루 사고력	1~6학년 A·B단계 12권
하루 VOCA	3~6학년 A·B단계 8권	하루 글쓰기	예비초~6학년 A·B단계 14권
하루 사회	3~6학년 1·2학기 8권	하루 한자	1~6학년 A·B단계 12권
하루 과학	3~6학년 1·2학기 8권	하루 어휘	1~6단계 6권
하루 도형	1~6단계 6권	하루 독해	예비초~6학년 A·B단계 12권
하루 계산	1~6학년 A·B단계 12권		

※ 각 교재별 출간 시기는 조금씩 다르며, 일부 교재는 순차적으로 출시될 예정입니다.

배움으로 행복한 내일을 꿈꾸는
천재교육 커뮤니티 안내

. . .

교재 안내부터 구매까지 한 번에!
천재교육 홈페이지

천재교육 홈페이지에서는 자사가 발행하는 참고서,
교과서에 대한 소개는 물론 도서 구매도 할 수 있습니다.
회원에게 지급되는 별을 모아 다양한 상품 응모에도
도전해 보세요.

구독, 좋아요는 필수! 핵유용 정보 가득한
천재교육 유튜브 <천재TV>

신간에 대한 자세한 정보가 궁금하세요?
참고서를 어떻게 활용해야 할지 고민인가요?
공부 외 다양한 고민을 해결해 줄 채널이 필요한가요?
학생들에게 꼭 필요한 콘텐츠로 가득한 천재TV로 놀러 오세요!

다양한 교육 꿀팁에 깜짝 이벤트는 덤!
천재교육 인스타그램

천재교육의 새롭고 중요한 소식을 가장 먼저 접하고 싶다면?
천재교육 인스타그램 팔로우가 필수!
누구보다 빠르고 재미있게 천재교육의 소식을 전달합니다.
깜짝 이벤트도 수시로 진행되니 놓치지 마세요!